La fabrique de mariages Volume I

Paul Féval

La fabrique de mariages Vol. I

PREMIÈRE PARTIE.

LA PETITE BONNE FEMME.

I

—Le billet de mille francs.—

Dans les premiers jours de mai, en l'année 1836, deux hommes se rencontrèrent dans l'une des contre-allées du boulevard de Saxe, derrière l'hôtel royal des Invalides. L'avenue était déserte, comme il arrive souvent. C'est à peine si quelques soldats passaient deux à deux à de longs intervalles, portant leur chapelet de bidons enfilés. Ce quartier, situé entre les Invalides et l'École militaire, est triste à en mourir. On n'y rencontre que des guerriers en négligé, ou quelques vieux débris de nos victoires, montant clopin-clopant à la barrière de Vaugirard pour boire au Grand-Vainqueur le vin exempt de droits en rabâchant des épluchures de batailles. Après déjeuner, le soleil d'Austerlitz réchauffe tous les cabarets du Gros-Caillou, comme le soleil de juillet illuminait encore, à l'époque où se passe notre histoire, toutes les guinguettes des environs de la Bastille.

Ils vont et viennent, ces soleils historiques; le vrai soleil du bon Dieu n'en peut mais et se venge en aveuglant les astronomes qui lui cherchent des taches.

C'est le quartier des marchands de bois en gros. A cette époque où la garde civique était à la mode, tous les chantiers portaient pour enseigne un français coiffé du bonnet à poil. Il y avait dans les avenues, et tout le long du boulevard des Invalides, le chantier du Garde national, le chantier de l'ancien Garde national, le chantier du nouveau Garde national, le chantier du vrai Garde national, et d'autres. La concurrence parisienne, bien honnête mais adroite, sait ainsi varier ses moyens.

A part les chantiers, quelques usines, deux fabriques de chandelles, des fermes de maraîchers plus sauvages que les métairies de la Sologne, mais moins pittoresques,—des couvents, le puits de Grenelle et beaucoup de maisons d'éducation. Ce qui distingue cette portion lointaine du Gros-Caillou, ce sont des multitudes de pensions pour MM. les officiers et des cabarets d'une tristesse profonde où la bière ne mousse que sur l'enseigne. On y boit de l'eau-de-vie à 12 degrés; on y boit surtout des demi-tasses de ce liquide désobligeant à la vue, blessant pour l'odorat, qui contient toute sorte d'ingrédients, sauf le café dont il porte le nom. Ces cabarets ont une physionomie toute particulière. Ce sont des masures presque neuves, mais caduques et rachitiques comme les enfants des vieux. La recette s'y fait le lundi avec des gens venus on ne sait d'où: le reste de la semaine, ils chôment. Plusieurs ont une mauvaise réputation.

Il n'est pas dans Paris de quartier qui soit plus émaillé de militaires. Sous la Restauration, c'étaient de dangereux parages. En 1836, on y assassinait encore assez bien vers la brune.

De nos jours, on n'assassine plus nulle part. L'âge d'or est venu sur terre.

Le journal le Droit, à court de crimes, va se fondre, dit-on, avec la Gazette des Tribunaux qui est sans ouvrage.

Il était environ dix heures du matin. La journée s'annonçait superbe et la brise balançait les grands arbres au feuillage tout jeune, mais déjà décoloré par la poussière. Nos deux hommes se rencontrèrent à peu près au milieu de l'avenue, vers l'endroit où se construit maintenant le couvent coquet des dames carmélites.

Il y avait alors, sur la droite, un chantier; sur la gauche, un pensionnat de jeunes filles.

Le marchand de bois étalait ses bûches savamment superposées à droite de la chaussée. Ses tas énormes formaient de jolis dessins; au haut du plus architectural, une horloge était placée, et, devant la grille, une enseigne effrontée criait aux passants: Seul chantier du Garde national.

Le pensionnat avait aussi bien bonne mine. On voyait quelques têtes d'acacias derrière le premier corps de logis. Une vaste enseigne, noir sur blanc, sans colifichets ni ornements, portait en grosses lettres: Pensionnat de jeunes personnes, avec jardin, tenu par mademoiselle Géran.

Au-dessous, trois médaillons de forme ovale traduisaient cela en anglais d'abord: Boarding school for young ladies; en allemand ensuite: Kostschule zu Jungferen; enfin, en espagnol: Casa de educacion para las señoritas.

Il y avait aussi une grille, mais fermée par des persiennes; une grosse cloche de couvent, pendue à une tige de fer, dominait un des piliers du portail, et, chaque fois qu'un passant s'approchait un peu trop près de l'entrée, on entendait l'aboiement terrible d'un mâtin.

Ce mâtin, à en juger par sa voix, devait être d'une taille énorme.

—Vous vous êtes fait attendre, monsieur Fromenteau! dit le plus âgé de nos deux compagnons, sans se découvrir, tandis que l'autre soulevait son chapeau.

—Dix heures juste, répondit celui-ci, qui montra l'horloge du chantier.

—Si les horloges des marchands de bois sont aussi justes que leurs mesures... Mais brisons là, monsieur Fromenteau, et dépêchons: je suis accablé d'affaires.

—Les mariages vont bien? demanda Fromenteau en clignant de l'œil.

Son interlocuteur le toisa d'un air de supériorité si souveraine, que Fromenteau, éperdu, toucha son chapeau derechef.

Ce Fromenteau sentait le pauvre diable, bien qu'il fût proprement couvert. Il était habillé tout de noir avec une cravate blanche un peu fatiguée. De grands papiers sortaient de ses poches; signe évident de misère.

Ces grands papiers qui sortent des poches ne valent jamais rien pour celui qui les porte: papiers d'huissier, papiers d'avocat, papiers de poëte. Je ne sais pourquoi la détresse à papiers est la plus navrante de toutes.

Fromenteau n'était ni poëte, ni plaideur. Il avait, au cinquième étage d'une vilaine maison de la rue de la Harpe, un cabinet d'affaires et de renseignements.

Bon métier, métier tout parisien, où l'on se damne à fond et irrémissiblement pour manger du pain sec.

Le compagnon de Fromenteau était un tout autre homme: pantalon gris à guêtres collantes et à plis sur le ventre; gilet de velours noir, montrant sa pointe sous le frac bleu, militairement boutonné; cravate noire étoffée et nouée largement, hauts cols de chemise, moustaches en brosse, chapeau à bords importants, cigare de cinq sous, pas de gants, gros jonc à pomme d'or. Ses moustaches et ses cheveux commençaient à grisonner, mais vous ne lui auriez pas donné plus de cinquante-cinq ans. C'était un assez bel homme, se tenant droit, se portant haut, et gardant cette physionomie d'officier en demi-solde, qui fut si populaire sous la Restauration.

Le nom n'était pas au-dessous du personnage. Tout le monde ne s'appelle pas M. Garnier de Clérambault. Cela sonne.

Enfin, la profession valait l'homme et le nom. M. Garnier de Clérambault, par ses relations dans le grand monde (ceci faisait partie de ses prospectus), par sa position de fortune et de moralité, par la confiance qu'il avait su inspirer aux familles, pouvait offrir son entremise utile aux célibataires ou veufs des deux sexes, désirant contracter mariage.

Il avait l'honneur d'offrir aux amateurs des dots liquides et sérieuses, depuis trois cents francs jusqu'à sept millions quatre cent vingt-sept mille six cent soixante-cinq francs. Il ne plaçait que des rosières, et, quant aux épouseurs, il répondait de leur ingénuité sur sa propre tête. Il mariait les humbles aussi bien que les puissants. Son carnet bienveillant s'ouvrait aux cuisinières sur le retour tout comme aux jeunes princesses polonaises; il accueillait même les demoiselles du quartier Bréda, pourvu qu'elles eussent de la candeur et des économies. Son personnel en fait d'hommes embrassait l'ordre social tout entier. Il avait entre ses mains des cœurs de porteurs d'eau, des cœurs d'avoués en mal d'étude non payée, des cœurs de professeurs, des cœurs d'artistes, des cœurs de généraux, et même un cœur de banquier.

Rara avis in terris, oiseau rare sur terre, disait Fromenteau, qui avait fait ses humanités et à qui l'escompte avait été cruelle. Fromenteau croyait à tout, hormis à ce cœur-là.—A supposer qu'il existât, ce cœur, il valait pour Fromenteau, comme curiosité, la collection tout entière.

Fromenteau était sceptique et malignement frondeur, comme tous les vaincus de la bataille sociale. Fromenteau avait essayé beaucoup et peu réussi. Garnier de Clérambault le dominait de toute la hauteur de son succès.

A cette question mal séante: «Les mariages vont bien?» M. de Clérambault ne daigna même pas répondre.

—Où en sommes-nous? demanda-t-il en remontant l'avenue.

—Hé! hé! fit l'agent d'affaires,—on ne gagnerait pas de vie à cet ouvrage-là... j'aimerais mieux copier pour les contributions directes ou placer des madères de la petite Villette... Tenez, patron, vous pourriez faire mon bonheur si vous vouliez, vous savez bien?...

Clérambault s'arrêta.

—Voulez-vous que je vous marie, monsieur Fromenteau? demanda-t-il.

—Ah! patron! répondit le pauvre diable, dont les yeux se baissèrent mélancoliquement,—ne plaisantons pas là-dessus, je vous prie... chacun a ses affaires de cœur... Je suis né constant, et je n'épouserai jamais que Stéphanie.

Il regarda Clérambault en dessous pour voir si celui-ci riait; mais Clérambault s'occupait déjà d'autre chose. Fromenteau, tout pâle et tout maigre, avec des yeux fatigués, cachés derrière des lunettes rondes, ne présentait pas un aspect très-séduisant, et cependant il y avait un sentiment si vrai sous le comique de ses paroles, que bien des gens l'eussent volontiers écouté.

Il reprit avec ce plaisir triste qu'on éprouve à sonder sa propre maladie morale:

—A peine au sortir de l'enfance...

—Quatorze ans, au plus, je comptais, interrompit Clérambault sur l'air de Joseph vendu par ses frères.

Fromenteau poussa un gros soupir; mais il poursuivit:

—J'avais un peu davantage: seize ans, seize ans et demi... Ah! patron, il y a longtemps de cela! J'étais rhétoricien... elle portait les chapeaux chez une modiste de la rue Saint-Honoré... dans le haut... je la rencontrai un jour d'orage et je lui prêtai mon parapluie... je n'avais pas de position: elle épousa M. Lebel, son premier, suisse à Saint-Philippe du Roule... un homme que je n'aimais pas... Il mourut... si vous saviez comme elle est bien en veuve!... Je déclarai mes sentiments; elle ne me rebuta pas... mais je n'avais pas de position faite; elle fut obligée, bien malgré elle, d'épouser son second, M. Mullois, garde du commerce... un homme que je détestais... il mourut aussi... J'accourus: je la trouvai embellie et occupée à remettre à la mode son ancien deuil de veuve... elle eut des bontés pour moi; mais, hélas! je n'avais pas encore de position faite: son troisième se présenta et fut accueilli, M. Mouillard, bandagiste... un homme que je n'ai jamais pu voir!...

—Tournez à droite! commanda M. Garnier de Clérambault.

Ils arrivaient à une petite ruelle qui passait entre le chantier et un marais plein de légumes sous cloches, pour rejoindre l'avenue d'Harcourt. Fromenteau tourna à droite dans la ruelle et continua en s'animant:

—Il est mort, monsieur, il est mort!... et n'est-ce pas une destinée? Stéphanie ne peut garder un seul de ses maris parce qu'il est écrit là-haut qu'elle sera ma femme...

—Quelle âge a-t-elle? demanda M. Garnier de Clérambault.

—Quarante-neuf ans... aux roses.

—Et que ne l'épousez-vous?

Fromenteau croisa les mains sur son ventre, à revers, et s'arrêta dans cette attitude qui peint le découragement.

—Je n'ai pas encore de position faite, balbutia-t-il avec des larmes dans la voix...—à mon âge... avec l'éducation que j'ai reçue... je suis bachelier ès lettres, monsieur!... et voilà que M. Moyneau pousse sa pointe tout doucement... gardien au passage du Saumon... bel uniforme... il sera son quatrième... je le sens à la dent que j'ai contre lui...

—Nous voici dans un endroit où nous pouvons causer à l'aise, interrompit Clérambault; trève de sottises!

—Des sottises, monsieur! se récria Fromenteau,—quand il s'agit de ma félicité!... Il me faut beaucoup de force morale pour achever, monsieur... mais j'achèverai: je m'en suis imposé le devoir... Que me manque-t-il pour être le quatrième de Stéphanie? une position faite. Vous pouvez me la donner...

—Moi, mon bon?

—Oui, monsieur..., et à peu de frais... Vous n'ignorez pas que mon neveu Prosper est dentiste et qu'il a inventé une préparation dont les effets sont tout bonnement miraculeux... Avec une goutte de cet élixir...

—Passez! fit Clérambault.

—Très-bien, monsieur!... Vous n'avez pas foi dans l'odontophile végétal...

—Pas la moindre.

—Voulez-vous que je vous fournisse une preuve?...

Fromenteau plongeait déjà sa main maigre dans la vaste poche de son habit noir.

—Ce n'est pas nécessaire, dit le marieur en l'arrêtant;—que vous faut-il?

—Stéphanie! répondit sans hésiter ce chevaleresque Fromenteau;—c'est-à-dire une position faite pour mériter Stéphanie, c'est-à-dire un billet de mille pour conquérir une position.

Il y a des expressions qui tarent un homme. Sans ce mot billet de mille, nous aurions presque pris Fromenteau pour un troubadour. Mais billet de mille! Méfiez-vous profondément des gens d'esprit qui disent billet de mille au lieu de mille francs. C'est de l'argot. On parle ainsi au tapis-franc et à la bourse.

Après cela, on peut être troubadour et malhonnête.

—Monsieur Fromenteau, dit Clérambault d'un ton protecteur et hautain,—si nous sommes content de vous, je ne vois pas pourquoi on vous refuserait cette bagatelle... mais il faut qu'on soit content... très-content... Veuillez me rendre compte de vos démarches.

Pour la troisième fois, Fromenteau se découvrit et montra sa tête dégarnie sans être chauve: une pauvre tête pointue de faiseur subalterne et malheureux.

—Mes démarches, commença-t-il, ont été nombreuses et couronnées de succès. J'ai découvert, d'abord, le notaire de M. le comte Achille de Mersanz...

—Bravo! dit Clérambault, qui ajouta aussitôt plus froidement:—c'est quelque chose... Qui est ce notaire?

—M. Souëf (Isidore-Adalbert), rue de Babylone, no 7.

—Je le connais... Depuis combien de temps fait-il les affaires de M. de Mersanz.

—Depuis son émancipation.

—En date?...

Fromenteau consulta un de ces grands papiers qui sortaient de ses poches.

—En date du 9 septembre 1816.

—Vingt ans..., supputa M. Clérambault;—Césarine n'a que dix-sept ans... Ce notaire était donc déjà dans la maison du temps de la première femme... C'est parfait!

Fromenteau se frotta les mains en songeant à l'odontophile végétal, inventé par son neveu Prosper. Prosper lui avait offert une association pour exploiter ce précieux produit, moyennant mille francs comptants: six cents francs pour le local et le mobilier, quatre cents francs pour faire imprimer des petites affiches que Fromenteau s'était chargé lui-même de coller sur toutes les persiennes de tous les rez-de-chaussée.—Nous savons d'immenses fortunes qui ont eu des commencements beaucoup plus modestes.

—Après? dit Clérambault.

Fromenteau baissa le nez sur son papier.

—Maître Souëf a cinq clercs, reprit-il:—Primo, Glayre (Charles-Jean), capax et notaire reçu, qui va prendre bientôt l'étude.

Clérambault nota ce nom sur ses tablettes.

—Secundo, poursuivit Fromenteau: M. Martineau (Théodore-Jean-Baptiste), vieux routier qui restera toujours second clerc; Tertio, M. Marcailloux (Ernest-Napoléon); Quarto, M. Midois (Amand-Fidèle).

Le marieur nota encore ces trois noms et hocha la tête d'un air mécontent.

—Quinto, acheva Fromenteau, M. Rodelet (Léon-Arthur).

Clérambault referma précipitamment son carnet et donna un grand coup sur l'épaule pointue du pauvre diable.

—Léon Rodelet! s'écria-t-il;—Léon Rodelet est clerc chez maître Souëf?

—Isidore-Adalbert, repartit Fromenteau, qui s'inclina.—Ce jeune Rodelet (Léon-Arthur) n'a pas encore d'appointements... il appartient à une famille honorable... A la fin de l'année, on compte lui donner cinquante francs par mois et le déjeuner.

—Diable!... et sa famille honorable lui fait une bonne pension?

—Presque rien...; ce qui ne l'empêche pas de mener bonne vie, à ce qu'il paraît... Il a un gentil appartement...

—Toujours rue du Bac?

—Vous le connaissez, patron, à ce que je vois... Il a quitté la rue du Bac et demeure ici près, au coin de la rue Neuve-Plumet, dans la maison de maman Carabosse.

La figure épanouie du marieur se couvrit d'un nuage à ce nom. Mais ce fut l'affaire d'un instant, et il demanda:

—A quel étage?

La ruelle allait en montant; ils étaient tout au bout du chantier et dominaient les alentours. Fromenteau montra du doigt au loin une terrasse fleurie qui formait le plus haut étage de la dernière maison de la rue Plumet.

—C'est à lui ce jardin suspendu, dit-il;—ça lui a coûté de l'argent.

Clérambault se prit à sourire.

—On doit voir cela du jardin de la pension Géran..., murmura-t-il.

A quoi Fromenteau répondit:

—Pour ce qui est de ça, je ne sais pas.

Clérambault prit son binocle en or et l'essuya soigneusement pour regarder mieux la terrasse.

—C'est très-gentil, cela, dit-il;—ce jeune M. Léon Rodelet est un garçon de goût...

—Et faraud! ajouta Fromenteau,—il faut voir!... Quand il ne va pas à l'étude...

—Il manque souvent?

—Mauvaise santé, à ce qu'il dit... mais on commence à trouver qu'il abuse des maux de gorge et des points de côté... d'autant mieux qu'il traite ces indispositions en courant à cheval toute la sainte journée avec des bottes molles et des gants paille... Et il a le tort de ne pas s'éloigner assez de la rue de Babylone... Il est toujours dans le quartier, passant et repassant dans l'avenue de Saxe... S'il allait au bois ou aux Champs-Élysées...

—C'est que, sans doute, interrompit le marieur,—la personne qu'il cherche n'est ni aux Champs-Élysées ni au bois.

—C'est juste, cela, dit Fromenteau avec sensibilité;—si on me demandait, à moi, pourquoi je flâne toujours du côté du Petit-Montrouge, je serais bien forcé de répondre que Stéphanie habite le village de Plaisance, et qu'il est un aimant moral, appelé sympathie par le vulgaire, qui exerce une attraction... Mais, tenez, patron, en parlant du Petit-Montrouge, on est sûr d'y rencontrer M. Léon Rodelet, tous les jeudis et tous les dimanches, en grande tenue et à cheval...

—Le jeudi et le dimanche..., répéta Clérambault qui réfléchissait;—précisément les jours où la pension Géran va en promenade... Est-ce que le chalet de la pension Géran n'est pas au Petit-Montrouge?

—Tout près du modeste réduit, monsieur, où Stéphanie respire... Vous vous intéressez, à ce qu'il paraît, à ce jeune Léon Rodelet?

—Il s'agit de savoir, pensa tout haut le marieur, s'il est amoureux de Maxence ou de Césarine...

—Hein?... fit Fromenteau; Césarine de Mersanz?... Je suis bête, moi!... Vous voulez faire le mariage, c'est clair!

Au lointain, du côté de l'avenue de Saxe, un son de cloche aigrelet se fit entendre.—Puis de joyeux cris, des cris de jeunes filles qui prennent leur volée, s'élevèrent.

Un cavalier descendit la ruelle au grand galop. M. Garnier de Clérambault et son compagnon n'eurent que le temps de se ranger contre le mur du chantier. Le cavalier ne les aperçut même pas.

C'était un tout jeune homme, tourné comme il faut, et bien à cheval. Sa figure régulière et un peu fatiguée portait les traces d'une préoccupation triste. Il était mis à la dernière mode, trop bien mis pour l'heure matinale. Un œil expert aurait su découvrir qu'il manquait un peu de ce laisser aller, de ce diable au corps qui distinguent l'insoucieux viveur. Il semblait, en vérité, jouer au gentleman, et il apportait en quelque sorte un soin surabondant aux détails de son rôle.

Il passa comme un éclair.

—Juste au son de la cloche!... grommela Clérambault.

—Quand on parle du loup..., commença Fromenteau finement.

—Dites-donc, patron! s'interrompit-il, si l'âge d'or revient, les petits clercs iront le matin à leur étude en berline à quatre chevaux... M. Rodelet est déjà dans l'âge d'argent... Avez-vous vu sa jument? un bijou!

Clérambault sembla s'éveiller tout à coup de sa méditation.

—Voyons, reprit-il brusquement, assez de cancans!... à nos affaires... Les renseignements sur M. de Mersanz...

—Complets! répliqua Fromenteau, qui changea de ton aussitôt.

Il fouilla dans plusieurs poches, d'où il retira une prodigieuse quantité de papiers. Parmi ces papiers, il choisit une feuille volante et remit ses lunettes à cheval sur son nez.

—«Mersanz, lut-il à demi-voix et en se rapprochant de son patron, qui se penchait pour égaliser les tailles;—Mersanz (Achille-Frédéric-Félix le Pescheur, comte de), né à Aix-la-Chapelle le 3 février 1798, marié en 1819 à Catherine-Marie Labbé de Pont-Labbé, fille aînée de M. le marquis de Pont-Labbé, gentilhomme de la chambre, commandeur de Saint-Louis, grand officier de la Légion d'honneur, pair de France, etc., etc., veuf en 1822, remarié en... (ici la date manquait) à Béatrice-Rosalie-Marie Roger, fille d'un simple capitaine de l'Empire, en retrait de solde depuis la rentrée des Bourbons...»

—En voilà une chute! s'interrompit Fromenteau.—Va toujours...

—«Colonel de hussards, démissionnaire en 1830, officier de la Légion d'honneur, membre du conseil général de l'Indre...»

Clérambault lui mit la main sur l'épaule.

—Le détail de la fortune? dit-il.

—Voilà, patron, répondit Fromenteau, qui eut un complaisant sourire; quand il s'agit de mariage, c'est le principal... hé hé!... Mademoiselle Césarine est fille unique... grande héritière... hé! hé!... mais le comte Achille n'a que trente-huit ans... et la comtesse sa femme est toute jeune... hé! hé!... hé hé!... En voilà une qui est jolie!... ses petits frères et sœurs peuvent venir...

—La fortune? répéta Clérambault, qui frappa du pied avec impatience.

—Voilà, patron, voilà... C'est magnifique!... cinquante-cinq mille francs de contributions foncières... en France seulement... sans compter les biens de Prusse et les valeurs mobilières.

—Cinquante-cinq mille francs! répéta Clérambault.

—Quand on songe qu'avec la cinquante-cinquième partie de cela, soupira Fromenteau, l'odontophile végétal marcherait sur des roulettes... que j'aurais une position faite... et que je serais le quatrième de Stéphanie!... Voulez-vous le détail?

—Rapidement.

—Il y a d'abord la terre de Mersanz, dans l'Allier, qui rapporte peu de chose à cause de l'entretien du château... on calcule que le château avec ses dépendances coûte soixante mille francs par an... Laissons la terre de Mersanz pour mémoire... La terre de Châtillon-le-Pape, même département; mal régie, rapporte quarante-sept mille francs quitte d'impôt... Les moulins à foulon du Chenu, même département, sont affermés trente-trois mille francs... L'usine d'Esdron, près de la Flèche (Sarthe), donne cent cinquante mille livres de rente... La minoterie de Randon...

—La somme des biens de France? dit Clérambault, qui essuya la sueur de son front.

Il avait la fièvre.

—De trois cent cinquante à quatre cent mille.

—Et les valeurs mobilières?

—Des actions partout... au moins deux mille francs de revenu.

—Et les biens d'Allemagne?

—Une centaine de mille francs.

—De rente?

—Parbleu!

Clérambault reprit haleine avec force. Il étouffait.

—Sept cent mille francs de revenu, supputa-t-il.

—Au bas mot! appuya Fromenteau; et quand on songe qu'avec la sept centième partie de cela...

—Mais dépense-t-il ses rentes? demanda Clérambault.

—Mal... il fait beaucoup de bien... pas d'esbrouffe... il y a des gens qui avec ça assourdiraient Paris!

—Et son beau-père?

—Le colonel Roger?... Vieille garde... moustache héroïque... victoires et conquêtes... brave homme... rude au poil... Il est venu s'établir chez son gendre depuis huit jours, on ne sait pourquoi ni comment...

M. Garnier de Clérambault eut un si singulier sourire, que Fromenteau s'interrompit pour lui demander:

—Est-ce que vous le savez, vous, patron?

Le marieur haussa les épaules.

—C'est qu'il y a des moments, reprit Fromenteau, où je m'imagine que vous êtes plus savant que moi sur le compte de cette famille-là.

Clérambault toussa et tourna la tête.

—Le beau-père et le gendre sont bien ensemble? demanda-t-il.

—Très-bien... Seulement, le beau-père aime trop les Invalides... Il a fait mettre une table de cabaret dans le jardin... et ça marche!... Il va toujours d'un côté de la table le capitaine Roger, de l'autre un troupier hors d'usage... On cause batailles et fredaines, Mars et Vénus...

—Ce pauvre bon capitaine! dit Clérambault, qui avait toujours aux lèvres son étrange sourire; ça fait l'éloge de son cœur.

—Assurément; mais ça ne plaira pas longtemps à son gendre.

Le marieur prit dans sa poche un autre cigare. Il semblait être d'excellente humeur.

—Patron, lui dit Fromenteau, vous devez être de la même fournée que le beau-père, ou à peu près...

M. de Clérambault fit mine d'être très-occupé à allumer son cigare.

—Vous êtes ancien officier de l'Empire, pas vrai? continua Fromenteau.

—Je m'en fais gloire, continua solennellement le marieur.

—On dit que ce capitaine Roger était un diable à quatre...

—Peuh!... fit Clérambault, il y a tant de Roger!... c'est comme les Martin...

—Et les Durand... et les Lebreton... Pour en revenir...

Clérambault lui imposa silence d'un geste, remit sa boîte à cigares dans sa poche et tira son portefeuille, qu'il ouvrit.

—M. Fromenteau, prononça-t-il confidentiellement, vous avez dit tout à l'heure un mot profond.

—Vraiment, patron?

—Vous avez dit: «Le comte de Mersanz n'a que trente-huit ans...»

—Dame!... de 1798 à 1836...

Clérambault hocha la tête et laissa tomber ces paroles:

—Ce n'est pas la fille qui est un grand parti, c'est le père.

—Le père est marié, dit Fromenteau.

Clérambault mit du vent dans ses joues. L'agent de renseignements se rapprocha de lui.

—Est-ce que vous croiriez...? prononça-t-il mystérieusement.

Puis, comme l'autre gardait le silence, il ajouta:

—On l'a dit dans le temps...

Il se fit un bruit léger au-dessus d'eux. Ils levèrent la tête en même temps et vivement. Une haute pyramide de bois à brûler montait à trente pieds au-dessus de la muraille. Aucun ouvrier ne se montrait sur la pile.

—On l'a dit, répéta Clérambault, qui baissa la voix.

16/141

Il prit dans son portefeuille un billet de banque de mille francs, en ajoutant:

—Et, si je connaissais quelqu'un qui voulût gagner ceci...

—Moi, patron, moi! s'écria le pauvre Fromenteau, qui joignit ses mains tremblantes avec ferveur; l'odontophile végétal... Stéphanie... tous mes rêves de fortune et d'amour.

Clérambault tenait le billet entre l'index et le pouce.

—Il s'agirait, dit-il posément, d'explorer un peu les cartons de maître Souëf et de chercher le contrat de mariage de M. le comte avec Béatrice Roger.

Fromenteau, pâle d'émotion, tendait la main déjà pour saisir le billet, lorsqu'un bruit plus distinct se fit au haut de la pile. Nos deux interlocuteurs n'eurent pas même le temps de lever la tête, cette fois.—Un homme tomba comme une bombe entre eux deux. En tombant, et avant de toucher terre, il saisit le billet de banque à la volée.

Clérambault et Fromenteau reculèrent. Il n'y avait que de l'étonnement dans les yeux du second; mais la physionomie naguère si hautaine du marieur était bouleversée. Ses dents claquaient sous sa moustache.

—Jean Lagard!... balbutia-t-il.

—Bonjour, mon vieux Garnier! fit celui-ci, qui fourra tranquillement le billet dans la poche de son pantalon de toile; comment va?

Il fit en même temps un signe amical à Fromenteau, qui le regardait, frappé d'étonnement, et n'osait crier au voleur!

C'était un gros réjoui d'ouvrier, robuste et découplé à merveille. Il paraissait âgé de vingt-cinq à trente ans: l'amour du travail n'était pas gravé sur ses traits.

Il aurait dû se casser les reins dix fois en sautant du haut de la pyramide; mais ses reins en avaient vu bien d'autres, et sa figure rubiconde n'avait même pas changé de couleur.

—D'où viens-tu? demanda Clérambault sans réclamer son billet de banque.

—De loin, mon vieux, répliqua Jean Lagard; on te dira ça quand monsieur ne sera pas là... J'ai pris du service là dedans, un petit peu (il montrait le chantier), pour attendre l'occasion de te présenter mes compliments... Je donne congé... le chiffon vaut deux mois de noces et festins... quand ça sera fini, j'irai te voir... A l'avantage!

Une voix doucette et charmante cria au bout de la ruelle, derrière l'angle de l'avenue d'Harcourt:

—Voilà le plaisir, mesdames!... voilà le plaisir!

Clérambault et Fromenteau échangèrent un regard.

—Carabosse! s'écria Jean Lagard, ma bonne amie Carabosse!... Voilà ce que j'appelle de la chance... j'aurais donné cent sous pour la rencontrer aujourd'hui!

On vit d'abord apparaître une boîte de forme cylindrique, en bois léger, cerclé de fer, à l'angle de la rue d'Harcourt; puis une petite vieille, proprette, menue, souriante, le corps un peu jeté de côté par l'habitude de porter sa boîte à plaisirs, se montra au bout de la ruelle. Dès qu'elle aperçut notre groupe, elle leur fit gaillardement signe de tête et demanda:

—En voulez-vous?

—A bientôt, mon vieux Garnier, dit Lagard, qui s'élança vers la petite vieille et la souleva dans ses bras comme un enfant.

M. de Clérambault tira sa montre. Il avait l'air consterné.

—Du moment que ces deux-là nous ont vus ensemble, monsieur Fromenteau, dit-il, vous ne m'êtes plus bon à rien... Bonne santé je vous souhaite!

Il s'éloigna, laissant le malheureux Fromenteau appuyé contre le mur. Jamais cet agent de renseignements ne s'était vu si près du billet de mille francs qui devait lui donner l'odontophile végétal et Stéphanie.

Clérambault descendit la ruelle à grands pas; en arrivant à l'avenue de Saxe, une voix railleuse frappa ses oreilles:

—Voilà le plaisir, mesdames, voilà le plaisir!

La petite bonne femme avait fait le tour par l'avenue d'Harcourt. Elle arrivait bras dessus bras dessous avec Jean Lagard.—Le marieur se mit en pleine déroute et gagna le revers des Invalides.

—En voulez-vous? lui cria de loin la petite bonne femme.

Elle s'arrêta devant la porte de la pension. Jean Lagard lui mit deux gros baisers sur les joues et lui dit:

—A ce soir, barrière des Paillassons... Le lieutenant y sera, mort ou vif, foi d'homme!

II

—La pension Géran.—

Il y avait deux demoiselles Géran, mademoiselle Mélite, qui était la grande demoiselle Géran, et mademoiselle Philomène, plus humble, moins haute sur jambes et qui parlait aux parents dévots. Mademoiselle Mélite était pour les mondains. Elle appuyait sur l'instruction et les talents d'agréments; elle avait un mot pour gagner le cœur des mères à sa mode: brillant sujet.

Brillant sujet, soyez certains de cela, est une invention comme l'odontophile végétal. Brillant sujet mettait l'eau à la bouche de toutes les aïeules. Un brillant sujet, fille de procureur, peut devenir duchesse. Mademoiselle Mélite vous avait une manière de dire cela:

—Je puis vous promettre, madame, de faire avec ce cher ange un brillant sujet!

On avait vu sortir, en effet, de la pension Géran plusieurs brillants sujets.

Mademoiselle Mélite était savante. Elle parlait plusieurs langues. C'était elle qui avait traduit son enseigne en anglais, en allemand et en espagnol. Son influence s'exerçait principalement sur les bourgeois, qui la prenaient pour une femme de grand ton.

Mademoiselle Philomène, au contraire, exploitait le faubourg Saint-Germain. On ne peut prendre les vraies grandes dames que par la modestie. Mademoiselle Philomène était la modestie même. Elle parlait simplement, un peu vulgairement même, comme cela se fait exprès dans les salons purs, par haine du beau français des parvenus.

Elle avait aussi son mot, mademoiselle Philomène, un mot composé, un mot adroit jusqu'à la subtilité la plus raffinée. Elle disait à madame la marquise:

—Nous ferons de votre chère petite une honnête femme qui sera remarquée partout.

Comprenez-vous? honnête femme aurait blessé la dame de l'avoué. En parlant à certaines gens, ce mot femme est impoli. Le bourgeois n'entend pas raison, ventrebleu! Il n'a ni femme ni fille, il a sa dame et sa demoiselle. Quiconque oublie cette nuance a mauvais genre.

C'est le contraire au faubourg.—Et cependant honnête femme ne suffit pas pour traduire brillant sujet. Il faut autre chose. Cette expression niaise: brillant sujet, eût offensé sans doute madame la comtesse; mais madame la comtesse veut aussi pourtant que sa fille étincelle un petit peu.

Or, voilà! Philomène était tout simplement une demoiselle de génie. Elle avait trouvé ce protocole: «Une honnête femme qui sera remarquée partout.»

Bien des gens seront de notre opinion: ce protocole est sublime.

Philomène était l'aînée des demoiselles Géran. Notez, en passant, qu'il n'est pas indifférent de s'appeler Philomène. Elle s'occupait de l'éducation religieuse et de l'administration: ce n'était pas une fille à se mettre en avant. Mélite, la grande mademoiselle Géran, passait en tous lieux pour la présidente de cette république; mais Philomène la menait par le bout du nez.

Au physique, Mélite était grande, haute en couleur, forte d'épaules et belle femme. Elle portait des robes de soie noire et frisait ses cheveux, qui avaient une tendance naturelle à la rébellion. Elle se donnait bientôt trente ans, et prisait sans relâche, pour prêter un peu d'aplomb à cet âge trop tendre, dans une vaste tabatière d'or.—Philomène boitait légèrement de la jambe gauche. Le mérinos était son étoffe favorite; elle portait ses cheveux en bandeaux sous un bonnet sévère. Elle était avenante, grassouillette, souple, courte, et se vantait à propos d'avoir passé la quarantaine.

Je ne sais pourquoi il n'existe pas au monde une seule maîtresse de pensionnat qui ait choisi ce métier par vocation. C'est toujours un accident.—Il n'y a que les concierges pour avoir éprouvé plus de malheurs.—Les maîtresses de pension sont invariablement des créatures déclassées, des nefs humaines, battues par la tempête. Elles sont cela, ne pouvant plus être autre chose. Si le ciel l'eût voulu, elles auraient toutes un hôtel et cent mille écus de rente.

Ce qui les mettrait à leur place, assurément.

La chute de l'Empire en créa des quantités. On en doit plusieurs aux inondations de la Loire; quelques-unes sont nées du naufrage de la Méduse. Il n'est point de désastre qui n'ait cette compensation de produire une ou plusieurs institutrices. Ce sont les filles du feu, du fer ou de l'eau. Elles sortent des châteaux incendiés ou des maisons écroulées. Les moindres sont nées d'un coup de foudre.

Les demoiselles Géran étaient trop habiles pour conter aux parents de longues et ennuyeuses histoires, mais elles plaçaient volontiers cette phrase que Mélite ponctuait par un soupir, Philomène par un sourire: «L'affaire de Saint-Domingue a pris deux millions cinq cent mille francs à feu notre pauvre père.»

On leur touchait deux mots de l'indemnité pour les consoler, et tout était fini.

C'étaient, du reste, il faut l'avouer, d'assez bonnes personnes, surtout aux approches de la Sainte-Mélite, de la Sainte-Philomène et du premier jour de l'an. Elles ne maltraitaient guère que leurs sous-maîtresses et distribuaient des prix à tout le monde à la fin de l'année.

Ce fut, lorsque la cloche sonna pour la recréation de onze heures, ce fut sur le perron comme une turbulente cascade de têtes blondes et de têtes brunes. Les cheveux bouclés, pris par le vent, voltigèrent; les robes d'été ondoyèrent du haut en bas des degrés, et le flot animé, franchissant la dernière marche, s'éparpilla sur la pelouse.

Une vraie pelouse. L'établissement Géran avait un jardin sincère, avec des acacias réels, de l'herbe, du sable et des murs tapissés de vigne vierge.

Le gai soleil riait dans le feuillage encore clair. Les rosiers boutonnaient; il y avait des primevères le long du mur. C'était mai, le joli mois des gazons et des fleurs; mai, le mois des jeux et des amours, où les oiseaux chantent, où l'eau tiédit dans le ruisseau sablé d'or pour baigner les petits pieds des fillettes.

L'enfant bondit joyeusement sous cet espiègle soleil de mai, qui donne à la jeune fille une démarche plus languissante. Pourquoi?

La fraise se noue et blanchit déjà au bois; la cerise est verte sur l'arbre; demain, le groseillier va teindre en rouge ses grappes qui pendent à terre. Les marronniers ont leurs aigrettes près de fleurir; l'acacia suspend ses gousses à l'odeur enivrante et trop douce. Pourquoi sautez-vous plus légères, fillettes infatigables, quand vos sœurs aînées cherchent déjà l'ombre et le repos?

Voici les jeux! Blanche a son cerceau, Claire saisit les manches de sa corde.—Amélie et Marie reçoivent et lancent tour à tour, à l'aide de leurs baguettes jumelles, l'anneau bariolé des Grâces.—Dieu me pardonne! il y a là une demi-douzaine de petits anges qui donnent à déjeuner à leurs poupées.—Emma se demande comment on peut se divertir à cela, elle qui, malgré la brise, bâtit son château de cartes sur un banc.

Gare à la ronde qui passe! Élise, Robertine, Valérie et les autres, des démons qui tournent à perdre haleine, et qui promettent de n'aller plus au bois, puisque les lauriers sont coupés.

Qui donc a coupé ces pauvres lauriers de la chanson? Pour tant de lauriers coupés, il y avait donc, en cet heureux pays, bien des têtes de héros ou bien des fronts de poëtes?

Hélas! sont-ce des lauriers qu'on va chercher au bois?

Gare à la ronde! Valérie la brune, Élise la blonde, Robertine, dont les cheveux châtains rebondissent en boucles si belles! Elles sont lancées et courent, suivies par le fretin des poupées vivantes, autour d'Anaïs, immobile au centre du cercle.—Embrassez celle que vous voudrez...

Et qu'on se range pour laisser passer la ronde.

C'est Élise qui chante. Il y a déjà de la prétention dans son accent. Brillant sujet!... Mais que Valérie y va de bon cœur! Et comme Robertine essuie sans façon, du revers de sa main mignonne, les gouttes de sueur qui perlent sous ses grands cheveux!

Et qu'elles se moquent de bon cœur des innocentes qui jouent là-bas à la tour, prends garde! le jeu des nigaudes, qui contient pourtant un excellent symbole.

Dans le monde, la femme est une forteresse qui doit se défendre toujours et toujours prendre garde.

L'escarpolette! voilà pour les vaillantes!—Et les barres! Mais Sophie est de mauvaise foi et Madeleine ne veut jamais être prisonnière. Le chat vaut mieux, le chat coupé surtout. Mais ce qui vaut mieux encore, mieux que n'importe quoi, c'est la corde, la grande corde, parce qu'il y a un cercle autour et qu'on est regardé.

Sans la galerie, qui donc sauterait à la corde?

Petites, moyennes, grandes, vont et viennent, courent et s'arrêtent. Voyez leurs gestes et leurs sourires. Ce sont des femmes. Il y a plus: quoiqu'elles se mêlent sans souci et franchement, un regard observateur distingue aisément parmi elles les castes et les provenances. Les petites du grand monde sont mises plus simplement et mieux; les petites bourgeoises, à part les signes physiques qui trompent quelquefois, sont plus maniérées et respectent leur toilette davantage.—D'ailleurs, il y a les noms qui sont un guide presque certain. Ne demandez pas d'où sortent Irma, Athénaïs, Rosa, Zuléma, Zédelie ou Malvina. Les noms ne mentent jamais.

Celles-ci ne s'amusent pas. Elles sont trois ou quatre autour de la sous-maîtresse, plus triste et plus ennuyée qu'elles. Ce sont les retenues. Qu'ont-elles fait? ou que n'ont-elles pas fait, les paresseuses?—Si elles n'étaient pas là, la sous-maîtresse, pauvre fille, pourrait poser sur un banc ce lourd tome de Rollin, qu'elle fait semblant de lire, et dévorer Ivanhoé, qui est dans sa poche; mais elles l'observent. Elles savent où est Ivanhoé; elles se vengent.

—Maxence! à la ronde! A la ronde, Césarine!

Deux charmantes filles, celles-ci, mais grandes; deux demoiselles de dix sept ans.

—Césarine! veux-tu jouer à la tour?

—Veux-tu courir aux barres, Maxence?

Dix-sept-ans, des tailles fines et souples, d'adorables visages et de ces divines chevelures, l'une fauve, l'autre cendrée, que les peintres aiment tant à faire miroiter sous leur pinceau!

—C'est Maxence qui sait des rondes!

—Et Césarine court si bien!

—Aux barres, aux barres!

—A la ronde!.. veux-tu?

—Césarine!

—Maxence!

Mademoiselle Césarine de Mersanz, fille unique d'un comte, s'il vous plaît! Mademoiselle Maxence de Sainte-Croix, fille unique d'une marquise, je vous prie.

Mon Dieu! voilà un an, à ce même mois de mai, Maxence et Césarine étaient les premières aux barres et à la ronde. Mais les mois de mai se suivent et cessent tout à coup de se ressembler.

Maintenant, aux récréations, Césarine et Maxence se promenaient gravement, fuyant les jeux insipides et causant Dieu sait de quoi. Elles n'étaient plus enfants. Elles rêvaient le monde, impatientes de franchir ce mur odieux qui leur cachait les joies et les élégances parisiennes.

Les barres, la ronde, ah! fi!—Songez que, dans trois mois, elles pouvaient être mariées.

Il y avait un cavalier au bout du jardin; au sommet du cavalier, il y avait une tonnelle. C'était là que les deux grandes (on les appelait ainsi dans la pension), c'était là que les deux grandes par excellence aimaient à se reposer. Du cavalier, on apercevait un petit coin de Paris: l'avenue de Saxe, le rond-point de Breteuil et les maisons situées à l'extrémité de la rue Neuve-Plumet.—Quand il venait quelqu'un, grande, moyenne ou petite, déranger nos deux compagnes dans leur sanctuaire, elles se fâchaient.

Elles s'aimaient, il fallait voir! Vous connaissez ces amitiés de pension qui ne doivent finir qu'avec la vie. Elles ne pouvaient absolument pas vivre l'une sans l'autre. Toutes deux avaient le même âge. Césarine avait fait son éducation entière à la pension Géran; Maxence n'y était que depuis dix-huit mois; mais il leur avait à peine fallu un jour pour éprouver cette commune sympathie qui les entraînait l'une vers l'autre.

C'était Maxence qui avait ces beaux cheveux d'un brun fauve. Elle était pâle, et son profil, sculpté hardiment, rappelait les contours de la madone espagnole. Il y avait comme un feu latent dans le regard de ses grands yeux noirs, frangés de cils énormes. Sa bouche harmonieuse et pure souriait peu, mais noblement.

Sa taille était haute, élancée et forte à la fois. Il y avait dans tous ses mouvements je ne sais quelle grâce fière, impossible à définir.

Césarine, moins belle assurément, était peut-être plus jolie. Maxence de Sainte-Croix était une femme tout à fait, tandis que Césarine gardait beaucoup de sa gentillesse d'enfant. Ses traits avaient une délicatesse extrême; ses yeux d'un bleu foncé pétillaient d'esprit et de malice sous les masses cendrées de ses admirables cheveux blonds; sa taille, qu'on eût prise dans la main, était merveilleusement modelée.—Avec cela, des pieds à chausser large la pantoufle de Cendrillon et des mains de fée...

Ce fut un grand tumulte tout à coup.

—Voilà le plaisir, mesdames!... voilà le plaisir!

—Carabosse! la petite bonne femme Carabosse! cria-t-on de toutes parts.

Elle était sur le seuil d'une porte basse qui communiquait avec la cour de la pension, le poing sur la hanche, la main au couvercle de sa boîte à plaisirs.—Il y avait là des fillettes de douze ans, qui étaient plus hautes qu'elle; mais ce fou rire qui s'était emparé de toute la pension à sa vue n'avait rien de moqueur.—On saluait ainsi tous les jours la petite bonne femme. On l'aimait. Elle avait la réplique si bonne et le visage si joyeux.

Et propre! et leste encore, quoiqu'elle fût vieille! et toujours prête à faire crédit à l'insu de la sous-maîtresse!

Elle avait un compte courant très-compliqué, je vous assure. Tout cela était dans sa tête. Elle ne se trompait jamais.

Trente ans auparavant, cette petite femme avait dû être une beauté en miniature. Ses traits étaient réguliers et fins. Ses cheveux, éclatants de blancheur, restaient épais, et ondulaient naturellement sur son front. La légère déviation de sa taille lui donnait seulement une singulière allure, surtout lorsqu'elle s'obstinait à suivre les soldats au pas accéléré, en prenant la mesure des tambours.

Elle avait cette manie, tout le monde la lui connaissait. Depuis une dizaine d'années qu'elle était dans le quartier, chaque fois qu'un régiment passait, musique en tête, on voyait la petite bonne femme avec sa jupe courte, son bonnet toujours bien blanc et sa grande boîte, qu'elle mettait dans ces occasions-là sur son dos, courir sur la pointe des pavés avec une légèreté vraiment fantastique, jusqu'à ce qu'elle fût à l'arrière-garde. Une fois là, elle allongeait le pas en mesure; son visage prenait une expression martiale, et sa courte taille, redressée militairement, malgré le poids de sa boîte, grandissait d'un bon quart de pouce.

Les soldats riaient. Elle leur donnait des poignées de plaisir cassé, ils l'appelaient maman: un rayon de joie profond illuminait aussitôt son visage.

Cette passion qu'elle avait pour les soldats amusait beaucoup le voisinage. On pensait généralement que la petite bonne femme n'avait pas la tête bien solide.

Mais c'étaient là ses débauches, et nous la trouvons ici dans l'exercice officiel de ses fonctions.—Outre sa boîte, elle avait à l'ordinaire un panier d'osier, doublé de papier blanc, qu'elle portait au bras. Ce panier était plein de pommes d'api si brillantes et si jolies, que vous eussiez dit la tête d'un bouquet de fleurs. Elle était fière de ses pommes, qu'elle ne vendait pourtant pas cher. Si quelqu'un eût osé prétendre que la petite bonne femme n'avait pas les pommes les plus mignonnes de Paris, elle se serait battue.

—Voilà le plaisir, mesdames! voilà le plaisir!

Elle n'avait garde de changer la formule consacrée. Pour des fillettes, c'est déjà fort agréable de s'entendre appeler mesdames. Mais la petite bonne femme, nous le disons en toute sincérité, n'avait pas besoin de flatteries pour achalander sa marchandise. Son plaisir, toujours frais, avait un parfum exquis. Où le prenait-elle? le plaisir des autres marchandes est insipide et sent la poussière.

Il fallut voir comme on se précipita vers elle de tous les coins du jardin. Cent voix enfantines s'élevèrent, lorsqu'elle prononça d'un air crâne son fameux:

—En voulez-vous?

—A moi! à moi! à moi!

—Pour un sou... pour deux sous...

—Des pommes d'api!

—Du sucre d'orge!

Heureuses les premières arrivées! Il y eut bien un léger échange de pinçons, de tapotes et de croquignoles entre celles qui voulaient passer toutes à la fois, mais la sous-maîtresse ne les vit pas.—Elles souffrent tant, ces pauvres sous-maîtresses, que parfois elles deviennent méchantes.

C'est assez rare. Ordinairement, elles s'engourdissent dans leurs misères et supportent avec un égal stoïcisme les piqûres des élèves et les coups de boutoir de madame.

—Chacun son tour! chacun son tour! disait la petite bonne femme, débordée;—tout le monde en aura si on ne me tracasse pas... Un sou, mademoiselle Valérie... Vous voulez des pommes, vous, mademoiselle Anaïs? Attendez: les pommes, c'est en dernier... Deux sous, mademoiselle Célestine... Voyons! saperlotte! chacun son tour!

Un joyeux rire s'éleva, mêlé de trépignements: on aimait à la faire jurer saperlotte.

Les retenues se mirent à pleurer parce qu'elles n'avaient point leur part de cette fête, et la sous-maîtresse leur dit:

—Que cela vous apprenne à être sages!

Pour exprimer cette pensée, mademoiselle Mélite Géran eût fait assurément un discours. Mais elle avait tant de talent.

Elle était là, mademoiselle Mélite, avec sa robe de soie et sa tabatière d'or.

Elle montrait justement à une nouvelle cliente le joyeux spectacle des fillettes entourant la marchande de plaisir.

Mademoiselle Philomène faisait de même. Mélite était sur le perron; Philomène au milieu de la pelouse abandonnée.

Mélite endoctrinait savamment une grosse négociante, épaisse et lourde, qui avait apporté sa fille, chétive enfant de sept ans; Philomène séduisait une svelte baronne qui tenait par la main un beau petit ange coquet, gracieux et mutin.

—Certes, certes, madame, disait Mélite avec sa belle dignité,—j'ai beaucoup entendu parler de la maison Maillard-Coquelin, banque, recouvrements...

—Surtout la commission pour l'exportation, interrompit la négociante.

—J'allais avoir l'honneur de le dire, madame... Notre établissement est tout spécialement monté pour le haut commerce.

—Oh! fit madame Maillard-Coquelin,—notre fille ne sera pas dans le commerce.

—J'entends bien, madame, répliqua Mélite souriant finement—mais noblement;—l'héritière d'une maison comme la vôtre...

—M. Maillard va se retirer dans deux ans.

—Si jeune encore!... Ah! le commerce, dans des mains habiles...

—Et probes, mademoiselle!

—Et probes, c'est sous-entendu quand il s'agit de la maison Maillard-Coquelin... Le commerce est la première profession du monde!

—Maman, dit la petite Maillard-Coquelin, elles mangent du plaisir.

—Mademoiselle Cornélie! appela Mélite.

La sous-maîtresse vint aussitôt.

—Allez chercher du plaisir à ce cher amour, dit Mélite.

—Ah! mademoiselle..., fit la mère reconnaissante.

—Mon Dieu, madame, reprit Mélite modestement,—notre soin principal est de nous faire aimer de nos enfants... Vous voyez le jardin... elles sont ici comme dans le paradis.

—Pour jouer, objecta madame Maillard-Coquelin,—c'est très-bien... mais pour travailler... D'abord, je veux qu'Angélina travaille.

—Angélina! se récria Mélite en caressant la joue blafarde de l'enfant;—quel nom distingué!

—Vous trouvez?... c'est moi qui l'ai choisi... On voulait l'appeler Jeanne, comme une cuisinière.

—Quant au travail, reprit Mélite.

—Je veux de l'histoire, interrompit la négociante,—de la géographie, du piano, des analyses, un peu de philosophie...

Cornélie, la sous-maîtresse, revenait avec le plaisir.—Ce fut mademoiselle Mélite qui le donna elle-même à l'enfant.

—Madame, dit-elle, si nos conditions vous conviennent, fiez-vous à moi. J'ai déjà pour Angélina la plus tendre sympathie. Je la surveillerai spécialement et je m'engage à faire d'elle ce que nous appelons un brillant sujet!

Ce dernier mot fut lancé, comme on dit au théâtre. Mademoiselle Mélite en savait l'effet d'avance. Elle reconduisit mademoiselle Maillard-Coquelin jusqu'à la porte de la rue, et celle-ci lui dit en partant:

—Demain, j'amènerai la petite.

Vous pensez si Mélite embrassa Angélina de bon cœur!

—Ah! madame! disait pendant cela Philomène à la baronne,—nous ne vivons pas encore assez en dehors du monde pour ignorer l'éclat de certains noms historiques... N'y eût-il pas un Salvage aux croisades?

—Deux, répondit madame la baronne de Salvage.

—A la première, mais un seul à la seconde, je crois ne pas me tromper... Pierre de Saulx, chevalier, seigneur de Salvage, était à Bouvines avec Philippe-Auguste... Vous portez écartelé, au premier et quatrième de sable au croissant d'argent qui est Saulx, au troisième et deuxième burellé d'or et de gueules, au franc canton d'hermines qui est Salvage.

La baronne la regardait, stupéfaite et enchantée.

—Vous savez...? murmura-t-elle.

Philomène eut un sourire.

—Ma foi, chère demoiselle, ajouta la jolie baronne,—je serais bien embarrassée s'il me fallait blasonner ainsi couramment notre écusson.

—Ne vous étonnez pas, madame, dit Philomène,—c'est ici la pension de la noblesse.

La baronne fronça légèrement ses sourcils aquilins.

—Je ne tiens pas à cela, dit-elle;—il faut que ma petite Jeanne s'habitue à voir tout le monde.

—Jeanne! se récria Philomène, qui se baissa pour embrasser l'enfant;—quel nom distingué!

—Ce n'est pas l'avis de mon cordon bleu, répliqua la baronne en riant;—elle s'appelle Angélina et se fâche quand M. le baron lui défend d'appeler sa fille Juanita...

—Petite maman, dit l'enfant,—celles-là mangent du plaisir... c'est bon.

Philomène ouvrait la bouche pour appeler mademoiselle Cornélie, mais elle n'eut pas le temps.

—Va, Jeanne, dit la baronne;—fais comme elles.

Jeanne s'élança comme une petite folle. Au bout d'une minute juste, elle avait conquis son plaisir, poussé et embrassé toute la pension Géran.

—Ma chère demoiselle, reprit madame de Salvage pendant l'absence de Jeanne,—veuillez excuser mon ignorance... Quelles sont vos études?... J'espère que vous n'apprenez pas le blason à ces fillettes?

—Nous apprenons le français, madame la baronne,—l'anglais, l'allemand, l'italien...

—C'est parfait...

—L'histoire, la géographie, la littérature...

—Ont-elles bien le temps de jouer? demanda la baronne.

—Pour cela, je vous en réponds.

—Et les ouvrages d'aiguille?

—Nous nous en occupons beaucoup.

—Dans notre famille, voyez-vous, nous sommes des femmes de maison et de ménage.

—De vraies femmes de gentilshommes! s'écria Philomène avec admiration.

—Vous êtes trop bonne, chère demoiselle;—Jeanne ne doit point être un petit prodige.

—Ce qu'on appelle un brillant sujet! dit Philomène en riant de tout son cœur;—non, non, madame la baronne... nous ne faisons pas de brillants sujets: voici notre marche...

Jeanne revenait avec son paquet de plaisirs. Philomène la prit entre ses bras et poursuivit.

—Nous nous faisons aimer de ces chers anges, d'abord... et nous tâchons de rendre aux parents d'honnêtes femmes qui sont remarquées dans le monde.

Philomène ne lança pas ce dernier mot comme sa sœur; elle le laissa tomber tout bonnement.

La baronne lui serra la main.

—Jeanne, demanda-t-elle,—veux-tu rester avec cette dame-là?

Jeanne regarda fixement Philomène.

—Viendras-tu me voir tous les jours? dit-elle ensuite à sa mère.

Celle-ci la serra contre son sein. Elle eut une larme tôt séchée,—puis elle gagna vaillamment sa voiture...

—Nous n'avons qu'elle, dit-elle à Philomène;—c'est tout notre cœur... rendez-la heureuse et bonne.

La voiture partit. Jeanne avait déjà une douzaine de camarades.—Mélite et Philomène se rencontrèrent dans la cour. Elles se regardèrent sans rire.

Moi, je vous dis qu'avec une de ces filles-là on ferait plusieurs diplomates.

Cependant la foule s'éclaircissait autour de la petite bonne femme, dont la grande boîte était presque à sec et qui n'avait plus guère de pommes d'api.

—Maman Carabosse, dit Cécile,—avez-vous des devises?

—Et de belles! répondit la petite bonne femme;—mais, dites-moi, où sont donc ces demoiselles? Il me reste juste assez de plaisir pour elles deux.

—Ah! ah! firent les moyennes,—ces demoiselles?... les vraies demoiselles!... Césarine et Maxence.

—Où sont-elles?

—Sous leur tonnelle, pardi!... à causer tout bas.

Et les moyennes d'enfiler ce chapitre d'anathèmes rieurs:

—Oh! font-elles leurs embarras, celles-là, maintenant!

—Elles ne veulent plus jouer...

—Ni chanter...

—Ni rire!

—Nous ne les aimons plus.

—Des devises, des devises!

La petite bonne femme jeta un regard du côté du cavalier. Elle vit les deux jeunes filles penchées avidement au balcon de la tonnelle et regardant au bout de l'avenue de Saxe.

—Je parie qu'il passe sur sa jument de louage! murmura-t-elle.

Puis elle souleva prestement le double fond de sa boîte pour atteindre les coquilles dorées où sont les devises, si chères aux enfants.

III

—Deux jeunes filles.—

Il passait en effet—sur sa jument de louage,—une jolie bête fringante et vive qu'il montait assez bien. Il passait dans l'avenue de Saxe, fringant comme sa monture, fatigant ses étriers pour trotter à l'anglaise et laissant floconner derrière lui la fumée bleue de son cigare.

Quelle différence y a-t-il, de loin, entre un cinquième clerc d'avoué et un prince?

Il passait. La petite bonne femme ne se trompait pas. C'était bien Léon Rodelet que Césarine et Maxence regardaient.

Césarine, émue et curieuse; Maxence, curieuse mais calme.

Ce n'était pas mademoiselle Maxence de Sainte-Croix qui venait pour Léon Rodelet sous la tonnelle.

—Il est vraiment assez bien, dit-elle quand Léon fut passé, le poing sur la hanche et la bride lâchée.

Il ne faut rien cacher. En passant, il avait envoyé un salut en souriant.

—Assez bien! répéta Césarine avec reproche.

—Très-bien, si tu veux... pour un petit jeune homme.

Vous verrez très-rarement une toute jeune fille apprécier un petit jeune homme.

Césarine répéta encore d'un air piqué:

—Un petit jeune homme!

—Dame, fit Maxence ingénument, et ce n'était pas son défaut dominant d'être ingénue,—c'est à peine si l'on voit sa moustache.

—Tu es myope, toi, ma bonne, répliqua mademoiselle de Mersanz;—moi, je la vois très-bien.

Maxence tourna vers elle ses grands yeux de gitana.

—Est-ce que vraiment tu l'aimes? murmura-t-elle.

Césarine éclata de rire,—mais trop bruyamment.

—J'aime son joli cheval, dit-elle,—sa cravache, la fumée de son cigare... On n'a pas le choix, ici.

Elle était rouge comme une cerise.—Maxence secoua la tête gravement.

—Et que crois-tu qu'on aime dans les hommes? murmura-t-elle.

—Je ne sais pas, repartit Césarine sèchement.

Maxence lui prit la main.—Il paraît que cette Maxence était beaucoup plus instruite que Césarine.

Césarine poursuivit:

—Mais d'où peut-il venir comme cela tous les matins? Et où va-t-il?

—Ma pauvre petite, répondit mademoiselle de Sainte-Croix,—il retourne d'où il vient?

—Où cela?

—Avenue de Breteuil, au manége Kreutzer.

—Comment peux-tu savoir?

—Je devine... et puis j'ai vu des commis en nouveauté monter sa jument le dimanche.

Césarine baissa les yeux.

—Les juments se ressemblent, dit-elle.

—Pas plus que les hommes.

—Où vas-tu donc, quand tu sors, le dimanche, Maxence?

—Je vais chez ma mère, tu le sais bien.

—Et tu vois passer les jeunes gens à cheval?

—Comme nous les voyons passer ici.

Il y eut un silence après lequel Césarine reprit timidement:

—Alors, tu ne le crois pas riche?

—Je le crois pauvre, repartit Maxence sans hésiter.

—Pourquoi?

—Parce qu'il est trop élégant.

—Par exemple!... commença mademoiselle de Mersanz.

—Tu m'interroges, interrompit Maxence;—je te réponds... et puis tu te fâches...
Je le crois pauvre parce qu'il fait semblant d'être riche et qu'il a un logement
au cinquième dans la rue Neuve-Plumet.

—C'est une belle rue.

—Au premier, sur le devant. C'est une rue passable.

—Sa terrasse est un bijou.

—On n'y voit jamais de valet de chambre mettre les meubles dehors.

Césarine fit un geste d'impatience.

—Tu épluches tout! dit-elle avec dépit. Ses fleurs sont ravissantes.

—Il les arrose lui-même.

Pour le coup, Césarine frappa du pied.

—Les jeunes gens comme il faut n'ont pas de ces goûts-là, ajouta froidement Maxence.

—Il est donc défendu d'être poëte! s'écria mademoiselle de Mersanz.

Maxence répondit tranquillement:

—Oui.

—C'est différent! reprit Césarine, qui ne pouvait plus se taire; comme si on n'avait pas vu des jeunes gens appartenant aux premières familles quitter leur hôtel et venir habiter un logement modeste pour se rapprocher...

—De l'objet aimé, acheva Maxence d'un ton railleur;—on a vu cela... dans les romans... et surtout dans les vaudevilles.

Césarine fronça le sourcil.

—Tu es méchante, aujourd'hui! fit-elle.

—Comment cela peut-il te blesser, demanda Maxence impitoyable,—puisque tu ne l'aimes pas?

Comme Césarine ne répondait point, elle la regarda en dessous et ajouta tout bas:—Puisque tu en aimes un autre...

Césarine tressaillit comme si une guêpe l'eût piquée.

Or, voyez, deux émotions dans ce petit cœur!

Ce n'était pas assez de M. Léon Rodelet, le dandy peu authentique, le sportman au cachet, Césarine avait encore un autre roman. Ce joli cheval, cette cravache, ce cigare ne lui suffisaient pas. Le héros de la terrasse fleurie avait un rival.

Et cette petite Césarine avait le front de dire: «On n'a pas le choix ici!»

Si vous les écoutiez là-bas, à la pension, quand elles causent, vous auriez parfois la chair de poule. Ce mot aimer, ce terrible mot et ses dérivés, amour, amant, etc., sont employés par elles avec un laisser aller qui fait frémir. Avez-vous vu des enfants imprudents jouer avec une arme chargée? C'est tout comme.

Moins elles savent, plus elles parlent. Est-ce bien dangereux? On le dit. Je ne sais trop. Il faut bien quelque chose pour remplacer la poupée.

Dès que la poupée a perdu son crédit, on joue à l'amour.

Il n'y a pas d'interrègne.

On pourrait presque dire: Celle qui ne joue pas à l'amour a de l'amour.

Non plus de l'amour de pension, mais un amour dangereux, puisque déjà il est prudent.

Entre Césarine et Maxence, c'était la blonde Césarine qui était accusée d'aimer. Nous nous serions défiés de Maxence.

Amant! quel gros mot! L'emploie-t-on vraiment à la pension Géran?

Les brillants sujets et les honnêtes femmes qui seront remarquées dans le monde passent-ils ainsi leurs récréations à bavarder amour?

Nous vous le disons parce que nous le savons: aimer, amour, amant, on ne sort pas de là. C'est le thème éternel. Demandez à celles qui brillent aujourd'hui dans le monde et qui, avant-hier encore, habillaient leur poupée, demandez-leur ce qu'elles faisaient hier.

Elles sont franches depuis qu'elles sont libres et reines. L'histoire universelle les occupait peu, la géographie moins, l'arithmétique pas du tout,—le piano...

Mais que d'amour dans cette boîte de palissandre! L'âme éplorée de la romance est là! tous les échos de la poësie idiote murmurent sous ces planches: soupirs du cœur! brises des nuits! guitares vénitiennes! Le piano est de l'amour.

Demandez-leur, elles jouaient à l'amour. Mademoiselle Mélite n'y peut rien, la grande mademoiselle Mélite; mademoiselle Philomène y perd son latin. Ce jouet de la quinzième année, l'amour passe à travers les grilles, saute par-dessus les murs, descend par les tuyaux de cheminée, entre par le trou de la serrure.

Voilà le fait. La conséquence est plus bizarre que le fait lui-même. La conséquence tendrait à prouver que cet amour-poupée qui divertit les pensionnaires est un petit dieu de carton, inoffensif au premier chef.— Mademoiselle Mélite et mademoiselle Philomène nous ont, en effet, affirmé que jamais ces demoiselles, devenues libres, ne gardaient souvenir du héros qui les avait fait rêver en prison.

Si leur destin est de nouer un roman dans le monde, ces demoiselles choisissent toujours un autre héros.

L'amour-poupée fait partie du mobilier de l'institution. Il est d'attache et ne peut pas être emporté.

L'univers est plein de curiosités providentielles qui prouvent l'infinie bonté de Dieu.

Comme Maxence achevait de prononcer ces mots accusateurs: «Puisque tu en aimes un autre,» la musique d'un régiment de ligne jeta quelques accords gaillards, accompagnés d'un coup de grosse caisse et de grincement de cymbales.

Les tambours, qu'on ne voyait pas encore et qui battaient le pas accéléré, se turent.

La tête du régiment déboucha par la place de Breteuil au moment où la musique frappait le premier accord de l'ouverture de Zampa.

—Le voici! murmura Maxence. Quand on parle du loup...

Elle se prit à battre la mesure avec son pied cambré hardiment. Son visage exprimait une indifférence dédaigneuse.

Mademoiselle de Mersanz était devenue tout à coup très-pâle.

—De qui parles-tu? demanda-t-elle.

—De ton autre amoureux, répondit Maxence du bout des lèvres.

Le regard que la jolie Césarine lui jeta était plein d'une véritable colère.

Je vous le demande, n'y a-t-il point des bornes que la plaisanterie ne doit jamais franchir?

Même entre pensionnaires jouant à l'amour-poupée?

L'autre amoureux était un lieutenant de la ligne.

Il y a des amoureux impossibles, entre autres, le lieutenant de la ligne!

Et encore ce n'était pas un de ces lieutenants qui sortent de l'École et qui ont un petit bâton de maréchal dans leur porte-cigarettes. C'était un lieutenant de vingt-huit ans, au moins, qui avait dû passer par tous les grades inférieurs.

Mais, tudieu! c'était un beau lieutenant! Nous regardons comme très-malaisé de faire de la poésie avec le vaillant uniforme de notre infanterie. Cependant, nous avons vu parfois de jeunes guerriers qui ne le portaient pas trop mal.—Le képi ramené en avant n'était pas inventé: c'est quelque chose.—D'ailleurs, notre lieutenant eût relevé le képi lui-même.

Un visage franc et doux, déjà bruni par la fatigue, un nez grec aux narines nerveuses, une bouche ciselée vigoureusement et qu'une fine moustache ombrageait à peine, des yeux fiers et tendres, surmontés de sourcils plus noirs que le jais.—Il était grand avec cela, et jamais jaquette militaire ne serra une taille plus robuste et plus gracieuse à la fois.

Le lieutenant Vital avait la réputation d'être le plus brave cœur et le plus bel officier de l'armée française.

Le régiment passa.—Vital était tout près. Maxence sourit et dit:

—Bon parti pour une héritière de huit cent mille francs de rente!

De pâle qu'elle était, Césarine devint écarlate.

Pourquoi?

Mademoiselle Mélite et mademoiselle Philomène ont vu bien des jeunes filles et de bien près, mais elles ne sauraient point répondre plus que nous à ces questions indiscrètes.

Césarine tourna la tête au moment où Vital glissait vers la terrasse un regard timide et triste.

Si Maxence l'eût observé en ce moment, elle aurait surpris une larme dans ses yeux.

Était-ce dépit? dépit d'avoir deux amoureux dont l'un était un petit jeune homme et l'autre un lieutenant de la ligne?

L'épée de Vital s'agita en quelque sorte d'elle-même comme pour ébaucher un salut.

Puis ses yeux se baissèrent.

—Il est superbe, ce garçon! fit Maxence; superbe!

Elle allait ajouter quelque chose, mais sa bouche demeura béante et tout son sang se retira de son visage.

A une centaine de pas du régiment, une calèche légère venait au trot de deux magnifiques chevaux.

Dans la calèche, il y avait une femme toute jeune encore et d'une ravissante beauté.

Plus belle assurément que Césarine ou Maxence elle-même.

Auprès de la jeune femme, un homme très-distingué, dans le bon sens du mot, très-élégant, mais non pas à la façon du pauvre Léon Rodelet, se renversait sur les coussins de la voiture.

Au mouvement que fit Maxence, Césarine la regardait d'un air de défiance. Elle craignait un sarcasme nouveau.

—Qu'as-tu donc? demanda-t-elle la voyant si pâle.

Maxence ne répondit pas.

—Est-ce que le beau lieutenant?... commença Césarine d'un ton plus incisif.

Mais, à ce moment, ses yeux tombèrent sur la calèche. Elle se leva d'un saut et frappa ses mains l'une contre l'autre en criant:

—Mon père! mon père!

Maxence était toujours immobile. Vous eussiez dit une statue, sans les battements précipités de son sein.

La dame de la calèche fit un salut gracieux en souriant.

—Achille, dit-elle à son compagnon, à quoi pensez-vous donc?... ne voyez-vous pas votre fille?

Césarine envoyait des baisers.

M. le comte Achille de Mersanz sortit en sursaut de ses réflexions et se pencha en avant. Il salua d'un air caressant.—Maxence releva les yeux en ce moment; le comte envoya un baiser.

C'était bien simple de la part d'un père.

Maxence, défaillante, appuya sa main contre son cœur.

Les yeux du comte brillèrent et se détournèrent.

—Entrons-nous? demanda doucement Béatrice; voici déjà longtemps que vous n'avez vu cette chère enfant.

—Non, répliqua le comte avec brusquerie.

Béatrice agita son mouchoir brodé. La calèche passa. Le comte ferma les yeux et se renversa de nouveau au fond de la voiture.

Sous la paupière de Césarine, une larme se montra.

—Elle n'aura pas voulu..., pensa-t-elle tout haut.

—Qui?... demanda Maxence.

—Ma belle-mère.

—Que n'a-t-elle pas voulu?

—Sans elle, mon père serait venu m'embrasser.

Maxence effeuillait lentement une fleur.

—Est-ce que tu es jalouse de ta belle-mère? murmura-t-elle.

—Non, répondit Césarine de bonne foi; mais mon père l'aime trop.

—Elle est très-belle, murmura encore Maxence.

—Tu trouves?

—Très-belle... très-belle!

Elles gardèrent le silence pendant toute une minute; après quoi, Césarine s'essuya les yeux en souriant et reprit, consolée:

—Tu as raison, elle est très-belle... et, ce qui vaut mieux, elle est bonne.

—Ah!... fit Maxence, bonne?

—Oui, certes... Mon père fait bien de l'aimer... Je crois que je l'aime aussi.

—Toi?... dit Maxence, qui la couvrit d'un singulier regard.

—J'ai eu tort, poursuivit mademoiselle de Mersanz; ce n'est pas elle, assurément qui a empêché mon père de me venir voir.

—Si fait, répondit tranquillement Maxence,—c'est elle.

A son tour, Césarine la regarda.

—Comment sais-tu cela? demanda-t-elle.

—Les belles-mères sont toutes ainsi, repartit Maxence; j'ai deviné, au mouvement de ses lèvres, qu'elle disait à ton père: «Pas aujourd'hui, mon ami; vous irez voir cette petite une autre fois.»

—Cette petite, répéta Césarine, qui se redressa; penses-tu qu'elle m'appelle cette petite?

Maxence retrouva son sourire railleur pour répondre:

—Je jurerais qu'elle a cette audace.

—Écoute donc, reprit Césarine revenant malgré elle au point de départ, j'ai beau faire, moi, je ne la trouve pas si belle...

—Alors, c'est que tu es jalouse.

—Mais non, je t'assure.

—Mais si... moi, je t'assure que si!... Madame la comtesse de Mersanz est la femme la plus belle et à la fois la plus jolie que j'aie rencontrée depuis que j'existe.

—Bah!... et, si tu étais homme, tu l'aimerais?

—Follement!

Maxence prononça ce mot avec force; puis elle ajouta tout bas:

—Elle est de celles qui sont aimées ainsi... et mortellement détestées!

—Bah! fit encore Césarine; eh bien, moi, je te trouve plus belle que madame de Mersanz... Voilà!

—Quel âge a-t-elle? demanda Maxence.

Maxence rêvait. Le regard de ses beaux yeux errait maintenant dans le vide.

—Vingt-deux ans.

—Elle s'appelle Béatrice?... murmura-t-elle... un nom qui va bien au calme de son front et aux regards profonds de ses yeux... Vingt-deux ans, l'âge d'être adorée!

—Est-ce qu'on n'adore pas celles de dix-sept ans? interrogea Césarine.

—On les trompe, prononça Maxence du bout des lèvres.

—A la bonne heure!... s'écria Césarine. En vérité, je ne sais pas ce que tu as aujourd'hui.

Sa pensée tourna. Le vent change souvent dans la cervelle des jeunes filles. Elle prit les deux mains de Maxence et la baisa au front solennellement.

—Je vais t'avouer quelque chose, reprit-elle; tu diras encore que je suis folle... J'ai pensé souvent à cela... Quel bonheur si on pouvait avoir pour belle-mère sa meilleure amie!...

Maxence essaya de sourire, mais elle était affreusement pâle.

Césarine ne vit point cela et poursuivit:

—Comprends-tu?... Toutes deux dans la maison... toi et moi... toutes deux du même âge... toutes deux ardentes à s'aimer...

—Quel enfantillage!... balbutia mademoiselle de Sainte-Croix.

—J'étais sûre que tu te moquerais de moi... Mais, c'est égal, je soutiens que c'est un beau rêve, et j'irai jusqu'au bout, puisque j'ai commencé... Nous nous habillerions de même comme deux sœurs... Nous irions dans le monde ensemble toujours... Tu ne me gronderais pas plus là-bas qu'ici... un peu moins, peut-être... Mon père serait heureux comme un roi, et nous...

—Mais tu n'y songes pas! interrompit Maxence, qui tâchait de sourire, moi, la femme de ton père?

Un observateur, même médiocre, eût deviné bien vite l'effort qu'elle faisait. Mais Césarine était tout entière à son idée.

—Eh bien, s'écria-t-elle, est-ce un trop bas parti, mademoiselle?... M. le comte de Mersanz n'est-il pas assez noble et assez riche pour vous?

—Je ne dis pas...

—Le trouvez vous laid ou mal tourné?...

—Il ne s'agit pas de cela...

—De quoi s'agit-il?... L'as tu vu à cheval?... Il a couru en Angleterre, l'an dernier... Il s'est battu en duel cette année!...

Deux grands exploits, veuillez le croire!

—Mon âge..., voulut objecter Maxence.

—Tu veux parler du sien... Il a trente-sept ou trente-huit ans... et tu arrangeais tout à l'heure assez mal les petits jeunes gens... Non, non, mademoiselle, mon père n'est pas trop vieux pour vous, je vous en réponds... C'est lui qui m'a appris la schottich... Quand il valse, tout le monde fait cercle... et toi qui valses si bien... Ah! s'il n'était pas remarié...

—Tais toi, dit Maxence, dont la voix était sensiblement altérée.

—Pourquoi me taire?...

—Je t'en prie!

Ce disant, Maxence tourna la tête. Césarine, qui la voyait de profil perdu, crut découvrir une larme suspendue aux longs cils de sa paupière.

—On ne peut même plus plaisanter avec toi! murmura-t-elle.

Maxence se retourna vers elle brusquement et la regarda en face.

—Es-tu capable de garder un secret? demanda-t-elle tout bas.

—Tu as donc un secret?... balbutia Césarine étonnée.

—Ce n'est pas à moi, le secret, répondit Maxence; ce serait plutôt à toi... si ce qu'on dit est vrai...

—A moi?...

—A ton père.

—Explique-toi, au nom de Dieu!

Maxence hésita un instant, comme si elle eût regretté déjà ses paroles; mais il n'était plus temps de reculer.

—Il y a dans le monde des situations singulières, dit-elle en choisissant ses expressions avec soin; des trompe-l'œil... des apparences mensongères... Tu n'as pas beaucoup d'expérience, mais tu dois cependant me comprendre.

—Absolument pas! prononça carrément Césarine.

—N'as-tu pas ouï parler quelquefois d'unions qui n'étaient pas sanctionnées par le mariage?

Césarine ouvrit de grands yeux.

—Est-ce que mon père?... commença-t-elle d'une voix étouffée.

—Mon Dieu! interrompit Maxence, le monde est plein de ces bruits qui n'ont aucun fondement...

—Est-ce qu'on dirait?...

—Que ne dit-on pas, ma pauvre Césarine!

—Je veux que tu me répètes textuellement...

—Ce sont peut-être de purs bavardages.

—Tu m'entends bien... je le veux!

Ce dernier mot fut prononcé impérieusement.

—Puisque tu m'y forces, commença Maxence avec une expression de profond regret et d'honnête répugnance, sache donc que le bruit public... ou plutôt le murmure public, car cela se dit bien bas... sache donc... Mais, s'interrompit-elle en tressaillant, quelqu'un s'approche.

—Pour Dieu! s'écria Césarine,—achève, je t'en supplie!

—Voilà le plaisir, mesdames, voilà le plaisir! chanta au bas du cavalier la voix doucette de la petite bonne femme.

—Une autre fois..., dit Maxence.

—Ce n'est qu'un mot, sans doute, insista Césarine,—prononce-le.

—Plus tard... ce soir.

La petite bonne femme parut au coude du sentier tournant, souriante et gaillarde.

—En voulez-vous? demanda-t-elle en prenant sa pose favorite.

Il faut vous dire qu'elle avait fait bonne recette dans le jardin. Elle était contente et de joyeuse humeur.—La musique militaire qui venait de passer lui avait mis de la joie à l'âme.

Elle regrettait bien un peu de n'avoir pas pu sortir pour suivre le régiment au pas accéléré jusqu'au lieu de sa destination, mais il faut faire son état.

Si elle avait su que c'était le régiment du beau lieutenant Vital.—La petite bonne femme aimait ce beau lieutenant comme la prunelle de ses yeux.

Mais elle ne savait pas, et toutes ces petites folles s'arrachaient les coquilles dorées contenant de belles devises, pas fortes sous le rapport de la poésie, mais pleines de sens et donnant toujours d'excellents avis.

—Moi, la première!

—Non, moi, moi, moi!

La petite bonne femme ne savait à laquelle entendre. Les têtes blondes et brunes moutonnaient autour d'elle comme les vagues de la mer. Elles trépignaient, les impatientes, elles se poussaient, elles tendaient leurs deux sous au bout de leurs petits bras allongés.

—Maman Carabosse! bonne maman Carabosse!

Pensez-vous qu'il ne soit pas agréable de s'entendre appeler maman par toutes ces bouches roses qui s'ouvrent en montrant deux rangées de perles? La petite bonne femme en oubliait presque la musique militaire.

—Chacune son tour, mes mignonnes!... Quant à être jolies, les devises, c'est tout premier choix, et n'y en a pas une autre dans Paris qui pourrait vous en donner de pareilles... Voyez la dorure... et c'est de vraies coquilles en bois... on peut mettre ça sur sa cheminée pour ornement... on en apporte de la Chine et d'ailleurs qui ne sont pas si jolies de moitié... Nous disons donc qu'on commence par vous, mademoiselle Victorine: choisissez!

Victorine, un lutin qui avait d'énormes tresses sur le dos, fourra sa petite main dans la corbeille et tira une coquille après avoir donné ses deux sous. Elle se hâta de l'ouvrir et tout le monde l'entoura.

Victorine ne savait pas très-bien lire. Ce fut mademoiselle Anaïs qui déchiffra par-dessus son épaule:

«Les enfants qui sont paresseux
Deviennent toujours malheureux.»
—Gare à toi, Victorine! cria-t-on de toutes parts.

—Victorine, tu as ton paquet!

Victorine n'était pas contente. Elle regrettait ses deux sous.

—A moi, à moi, à moi!

—Nous disons, fit la bonne petite femme, que c'est à mademoiselle Cécile.

Cécile, heureuse et impatiente, prit sa coquille d'or et l'ouvrit.

—Tu n'as pas les mains propres, Cécile! cria un petit chiffon à qui on faisait cent fois chaque jour le même reproche.

Cécile lut au milieu des rires joyeux:

«Ce n'est que par la propreté
Qu'on peut conserver sa beauté.»
—Attrape, Cécile!

Cécile fit la moue et dit:

—Ce n'est pas gentil!

—A mademoiselle Félicité!

Félicité fourra dans sa bouche le restant de son plaisir, au risque d'étouffer. Sa coquille d'or portait:

«Il est un fort vilain défaut,
C'est de manger plus qu'il ne faut.»
—A mademoiselle Anaïs!

Dans chaque pension, il y a une pauvre petite Anaïs,—à qui on ne parle jamais de sa mère.

Ces coquilles sont cruelles. Savez-vous ce que celle d'Anaïs contenait?

Deux vers trop connus, quoique peu rimés:

«Bonne renommée
Vaut mieux que ceinture dorée.»
—Ah! pour le coup..., commença une grande en éclatant de rire.

La petite bonne femme fixa sur elle ses yeux de telle façon, que la grande resta muette.—Tudieu! quand elle voulait, la petite bonne femme vous avait de ces regards...

—Qu'est-ce que ça veut dire! demanda la pauvre petite Anaïs.

Personne ne savait, excepté la grande, et la grande restait muette sous le regard de la petite bonne femme.

—Ça veut dire, répondit celle-ci,—qu'il y a de belles demoiselles bien sottes qui ne valent pas les chérubins comme vous, mon trésor.

La grande alla se promener.

—Maintenant, dit maman Carabosse quand tout le monde eut tiré, je vas en casser une pour moi, à l'intention de toute la société.

Elle choisit la plus belle coquille et la sépara en deux. Elle lut à haute voix:

«Travaillez bien, mes chers enfants,
Pour le bonheur de vos parents!»
Une devise de cette force-là vaut seule un long poëme. Pendant que la petite bonne femme reprenait sa boîte et son panier, il y eut une triple salve de vivats et tout le monde retourna à son jeu. La tour prends garde, la corde, les barres, le cercle recommencèrent comme de plus belle.—Jeanne, la jolie petite baronne, fut admise au jeu de barres. Comme elle était trop brave, elle fut prisonnière tout le temps de la récréation.

Maman Carabosse se dirigea vers le cavalier pour faire sa visite à ces demoiselles.

A sa question sacramentelle: «En voulez-vous?» Césarine répondit par un geste d'impatience; mais Maxence, plus maîtresse d'elle-même, réussit à sourire.

—Bonjour, maman, dit-elle;—avons-nous fait bonne vente?

—Il n'en reste plus que pour vous, mes chères belles, répondit la petite bonne femme.

—Nous prendrons donc le fond du sac, dit Maxence, qui atteignit sa bourse.

Césarine fit le même mouvement; mais elle garda son porte-monnaie à la main sans l'ouvrir parce que M. Léon Rodelet venait de paraître là-haut sur la terrasse fleurie. Césarine avait cru voir la main de ce hardi Léon s'approcher, puis s'éloigner de sa bouche,—comme pour lui décocher un baiser.

—Vous allez m'en donner des nouvelles! disait la bonne petite femme en comptant ses plaisirs; mais qu'est-ce que vous regardez donc au paradis, mamselle Césarine?

—Moi, répondit la jeune fille en rougissant;—la terrasse... les fleurs...

—Tiens! tiens! fit maman Carabosse,—ça fait bien, d'ici... et M. Léon est à son balcon... C'est la maison où je demeure, vous savez.

—Qu'est-ce que c'est que ce M. Léon? demanda Maxence d'un ton indifférent;—un prince déguisé?

—Un cinquième clerc de notaire, répondit la petite bonne femme.

Maxence éclata de rire. Césarine avait envie de pleurer.

—Vous avez l'air toute chagrine, reprit la petite bonne femme, qui ouvrit le double fond de sa boîte.—Allons! une devise pour vous égayer... il n'y en a plus que deux... Choisissez.

Césarine prit la première venue qui disait:

«Tout ce qui reluit n'est pas or.»
Elle la jeta. Maman Carabosse la lut et dit en haussant les épaules:—C'est comme ici près sur la terrasse!

Maxence avança la main pour prendre la coquille qui restait.

—La petite bonne femme retira la boîte.

Elle avait les yeux fixés sur Maxence, et l'expression de ce regard était si étrange, que la jeune fille en éprouvait une sorte de malaise.

—C'est la noire, dit-elle.—ne la prenez pas!

—Comment, la noire?...

La petite bonne femme renversa sa boîte et fit tomber la coquille à terre. On put voir alors que la dorure de cette dernière coquille était rayée de filets noirs.

—Et qu'est-ce que contiennent les noires? demanda Maxence.

—La vérité.

—J'aime la vérité... Donnez.

—Je vous ai dit: Ne la prenez pas, mademoiselle de Sainte-Croix.

—Moi, je vous paye vos deux sous et je vous dis: Donnez-la-moi, maman Carabosse.

La petite bonne femme se baissa et ramassa la coquille.

—Vous avez peur..., murmura-t-elle.

—Peur de quoi? s'écria Maxence avec fanfaronnade.

La petite bonne femme lui présenta la coquille en répétant:

—Vous avez peur.

—Ta main tremble..., dit en même temps Césarine intimidée;—ne l'ouvre pas.

Maxence n'ouvrit pas la coquille, elle la brisa.

Le papier qu'elle contenait était entouré d'un filet de deuil.

—Ne lis pas! ne lis pas! s'écria Césarine.

Maxence commença d'une voix ferme et tout haut:

«A son insu, l'acide mord;
A son insu, la fange tache,
Et le vil poignard qui se cache,
A son insu donne la mort...»
A la fin de ce quatrain, la main et la voix de Maxence tremblaient.

—Cela n'a aucune signification! s'empressa de dire Césarine.

Elle ajouta en s'adressant à la petite bonne femme:

—N'est-ce pas?

Maman Carabosse refermait sa boîte.

Maxence avait la tête inclinée. Un voile de pâleur s'était répandu sur son visage. Elle avait les yeux cloués au sol.

—Cela doit signifier beaucoup, au contraire..., murmura-t-elle.

La cloche qui annonçait la fin de la récréation sonna.

—Portez vous bien, mes belles demoiselles, dit maman Carabosse, qui rejeta sa boîte sur son dos et descendit prestement le cavalier.

Maxence laissa tomber sa tête charmante sur le sein de Césarine et répéta lentement:

A son insu, l'acide mord;
A son insu, la fange tache,
Et le vil poignard qui se cache,
A son insu donne la mort...

IV

—Le roman du cinquième clerc.—

«Tout ce qui reluit n'est pas or,» voilà une vraie devise de coquille, pleine d'esprit, grosse de sens et à la portée de tout le monde.

Mais ce diable de quatrain sur l'acide, la fange et le poignard, avait des allures tellement romantiques, que nous ne pouvons l'attribuer à un poëte-confiseur,— à moins de supposer qu'un de ces jeunes Titans, fils mal venus de Dante et de Shakspeare, n'eût abaissé sa verve à ce métier innocent, un jour de famine.

Que le fidèle berger se méfie! Une douzaine de devises semblables mettraient la déroute dans sa clientèle. La devise ne doit jamais sortir de ce caractère prolixe qui est son charme. Elle doit donner ses excellents avis à demi-voix et d'un air idiot, et, pour parler comme elle:

«Ici-bas, le premier talent
Est de savoir garder sa place...»
Pour Césarine, la devise contenue dans la coquille noire était du galimatias tout pur.—Mais, pour Maxence, la devise avait une portée autre et terrible. C'était comme un flambeau menaçant qui venait éclairer tout à coup son présent et son passé.

Elle n'avait pas la vie de tout le monde, cette belle jeune fille. Il y avait derrière elle et autour d'elle des mystères qu'elle avait en vain essayé de pénétrer. Son existence était une énigme dont elle-même ne possédait point le mot.

La devise frappait avec une justesse navrante au point le plus vulnérable de son être. Elle n'accusait point; elle semblait plaindre et menacer à la fois.

Acide qui mord, fange qui tache, poignard qui tue,—tous trois à leur insu.

Instruments inertes et aveugles...

Maxence avait déjà eu cette pensée: «Que suis-je?» Ce jour-là, elle se demanda: «Suis-je un instrument?»

Elle se retira dans sa chambre où elle s'enferma. Elle passa le reste de cette journée, assise sur le pied de son lit, la tête brûlante, le regard fixe et sans larmes. Dix fois, Césarine vint frapper à sa porte; Maxence ne répondit point.—La grande mademoiselle Mélite monta en personne et n'eut pas un sort meilleur.

Il paraît que Maxence de Sainte-Croix avait des priviléges à la pension Géran, car la grande mademoiselle Mélite s'en retourna comme elle était venue et sans se plaindre.

—Elle a ses lunes! dit-elle à Philomène.

Vers le soir, Maxence se mit à genoux et pria.—En se relevant, elle se couvrit le visage de ses mains, et, à travers ses larmes qui jaillirent enfin, abondantes et amères, elle s'écria:

—Je l'aime, mon Dieu!... Cela les rend trop forts contre moi!

Césarine aussi était préoccupée, d'abord par sa devise: «Tout ce qui reluit n'est pas or,» ensuite par la révélation entamée de Maxence.—Qu'allait-elle dire, cette Maxence, au moment où la petite bonne femme était venue les déranger!

Et pourquoi ce regard si moqueur lancé par la petite bonne femme à la jolie terrasse de Léon Rodelet.

Cinquième clerc de notaire!—Mon Dieu! ces choses-là n'arrêtent pas les jeunes filles.

Tout le long du jour, elle songea.—Une ou deux fois, elle vit cette noble figure du lieutenant Vital.

Mais elle ne voulait pas. Vous entendez bien, c'était malgré elle qu'elle revoyait dans son rêve l'éclair que le soleil arrache aux épées nues.

Je vous demande s'il est temps encore, quand on songe ainsi tout éveillée, d'étudier la géographie chez les demoiselles Géran?

La petite bonne femme habitait, comme nous l'avons dit, cette maison neuve située à l'angle de la rue Plumet et du boulevard, où Léon Rodelet avait un appartement donnant sur la terrasse. La fenêtre du grenier de la petite bonne femme s'ouvrait juste au-dessus de la terrasse. Elle n'avait donc pas besoin d'être sorcière pour connaître les manœuvres amoureuses du cinquième clerc de maître Isidore-Adalbert Souëf. Tant que duraient les récréations de la pension Géran, Léon se promenait sur sa terrasse. Il faisait, le pauvre garçon, tout ce qu'il pouvait pour reluire, bien qu'il ne fût pas or, au dire de la devise. Il avait acheté une magnifique robe de chambre en velours noir, semée de besans rouges, qui se voyaient de loin; il avait une pipe turque; il avait une longue-vue, un divan de cotonnade rouge, enfin ce qui paraît.

Et il mimait là-haut la passion de son mieux.

Il aimait bien véritablement Césarine de tout son cœur et plus qu'il n'eût voulu. Il savait que Césarine était une des plus riches héritières de Paris; il savait qu'elle était noble et que son père, colonel à trente ans, avait donné sa démission lors de l'avénement de Louis-Philippe. Cela supposait de certaines opinions peu favorables à une mésalliance; mais, d'un autre côté, M. le comte de Mersanz, depuis 1830, avait épousé la fille d'un simple capitaine de l'Empire, qui s'appelait Roger tout court. C'était au moins une preuve de tolérance à l'égard des alliances bourgeoises. Ce que Léon espérait, nous ne pourrions pas le dire; mais enfin, il espérait puisqu'il s'efforçait.

Léon était le fils d'une brave dame de Chartres, qui lui faisait une pension de cent cinquante francs par mois, en attendant qu'il eût des appointements chez le notaire.

Avec ce revenu de cent cinquante francs par mois, Léon Rodelet entretenait sa terrasse et montait à cheval tous les jours pour passer avenue de Saxe à l'heure de la récréation. En outre, il s'habillait à merveille, suivant docilement les inspirations de son tailleur, qui fournissait un membre du Jockey-Club et plusieurs courtiers marrons.

Pour soutenir cette vie, il faut manger peu, boire de l'eau et faire des dettes.

Léon Rodelet avait adopté ce régime.

Il devait à tout le monde et maigrissait d'autant. Son meilleur repas était le déjeuner au pain sec et au vin de l'étude.—Après ce déjeuner, il prenait un cure-dents et montait à cheval.

Il y avait déjà du temps qu'il menait cette existence. Ses affaires d'amour avançaient peu. Chaque jour, il écrivait plusieurs lettres à mademoiselle de Mersanz, mais il n'osait jamais les envoyer.—Quiconque n'a jamais écrit de ces lettres qu'on n'envoie pas, ignore une des plus vives joies qui se puissent imaginer au monde.

C'est le souhait des contes de fées, exaucé pour un instant; c'est le désir fou, signant une trêve avec son ennemi intime l'impossible; c'est la bataille à l'aise et sans danger; c'est le rêve avec des prétextes plausibles pour croire à la réalité.

Chères lettres! phrases folles et charmantes! poésie des aspirations solitaires! hardiesses poltronnes de la vingtième année! on sourit en repassant vos enfantillages lointains dans sa mémoire; mais comme on vous regrette!

Léon Rodelet avait vingt et un ans.

Jusqu'à la fin de la récréation, il resta ce jour-là sur son balcon, vêtu de sa fameuse robe de chambre à ronds rouges et coiffé du bonnet grec brodé d'or. Ces bonnets grecs sont pour piquer la jalousie. Ils signifient, dans le langage symbolique des Léon amoureux:

«O Césarine! une main charmante me broda cette coiffure; mais, pour un sourire de vous, je la lancerais par la fenêtre!»

Les vraies mains qui les brodent sont des pattes affreuses, soudoyées par les chapeliers.

Léon s'accoudait à son balcon, dévorant des yeux mademoiselle de Mersanz, qui tournait vers lui de temps à autre un regard furtif. Lorsque la cloche sonna, il ôta galamment son bonnet grec; mais Césarine ne faisait plus attention à lui.

Il quitta le balcon et rentra dans son appartement. «Tout ce qui reluit n'est pas or.» L'appartement de ce malheureux Léon ne reluisait pas du tout. La terrasse était l'enveloppe dorée, l'appartement faisait déjà partie du fruit amer. Hélas! hélas! les sarcasmes de Maxence avaient cruellement raison. Léon Rodelet n'était pas un parti pour mademoiselle de Mersanz.

L'appartement avait trois pièces toutes fraîches et assez bien ornées, car on trouve toujours à louer les cinquièmes étages avec terrasse. Les mariées du treizième arrondissement aiment à porter leurs nids sur ces hauteurs, afin d'y nourrir des pigeons blancs, sans compter les joies du repas d'été sous la tente de coutil rayé.

Léon avait eu pour concurrente, au moment de louer, une madame Brunet, veuve des écoles, adonnée aux serins, aux chats ténors et aux barbets. Le propriétaire la regrettait. Léon était entré, sur la promesse de meubler convenablement les trois pièces: il n'avait meublé que la terrasse.

En dedans, il n'y avait qu'une demi-douzaine de chaises en mauvais état de réparation, une table, une toilette et un lit de fer. Total quarante francs à la criée. Pour se montrer équitable envers les différentes parties de son logement, Léon avait mis deux chaises dans chaque chambre.

Léon vint s'asseoir devant sa table, où il s'accouda, la tête entre ses mains. Il y avait plusieurs lettres sur la table. Toutes étaient cachetées. Depuis deux ou trois jours, Léon n'ouvrait plus sa correspondance, sûr qu'il était d'y trouver des motifs de détresse. Il connaissait les écritures. Les lettres qui étaient là éparses venaient de son tailleur, de l'étude, du propriétaire, tous créanciers de Léon. Léon ne payait qu'au manége.

A deux ou trois reprises, il regarda ces lettres, comme s'il eût voulu les décacheter; mais un invincible dégoût le retenait.—Il tira de sa poche une autre lettre, fermée aussi, qui portait le timbre de Chartres.

—Ma mère! murmura-t-il, ma pauvre mère!... Elle me gronde... si elle savait comme je souffre!

Il jeta la lettre avec les autres; mais les larmes lui vinrent aux yeux.

—C'est la fin, reprit-il d'un ton morne et découragé... J'ai eu tout ce que ce misérable amour peut me donner... Il me reste le choix: me faire soldat ou mourir!...

Il se leva. Il était assez calme. Il prit dans une cachette, sous une petite caisse à fleurs, la clef d'une armoire d'attache, qui lui tenait lieu à la fois de secrétaire et de buffet. Dans l'armoire, il prit un morceau de pain dur, un reste de fromage, un paquet de papiers et un pistolet.

—C'est la fin, répéta-t-il; mon histoire n'est pas longue: j'ai vécu comme un sot; je meurs de même.

Il mit sur la table le pistolet, le paquet de papiers, le pain et le fromage.

Pour tout homme d'expérience, il eût été parfaitement évident que cet enfant allait se tuer. Il n'y mettait ni emphase dramatique ni hâte fiévreuse. Il allait se tuer parce qu'il était au bout de son rouleau, comme on dit, parce qu'il entrevoyait, dans un éclair de raison, le profond égarement de sa voie, et parce qu'il n'était pas assez brave pour se retourner brusquement et marcher en sens contraire.

Il avait essayé de lutter, pas longtemps et pas beaucoup. Il avait été vaincu.

Sa résignation n'était que l'excès de la lassitude.

Comme il posait le pistolet sur la table, son regard rencontra la glace, qui était au propriétaire. Ses longs cheveux noirs, frisés le matin même par le coiffeur, encadraient son front pâle et blanc. Il n'y avait sur ce front ni pensée bien haute ni bien virile audace. Mais cette dernière heure a son auréole.

—Là-bas, à Chartres, Anna me trouvait beau, dit-il; Anna est belle... et bonne!... Pourquoi vient-on à Paris?

Éternelle question des vaincus! Anna l'eût aimé, Anna, sa belle petite cousine qui le cherchait, tout enfant, dans les jeux de la maison paternelle.

Mais cette image de Césarine, souriante et radieuse dans sa sérénité fière, passa au-devant de ses yeux. Anna s'enfuit, pauvre souvenir de seize ans...

Il ferma ses paupières qui brûlaient. Césarine était là, son rêve, sa folie.

Où l'avait-il vue? comment cela s'était-il fait?—Il était heureux. Il arrivait de Chartres. Sa mère montrait ses lettres aux voisines, tant elles annonçaient de sagesse. Il parlait de travailler, de parvenir, de tout ce qui donne de l'orgueil aux mères. Il était de bonne foi, cela se voyait.—Sans sortir des bornes du possible, cette pauvre veuve pouvait rêver pour son fils chéri une étude de notaire dans l'avenir.

Or, quelle gloire! Et que de larmes joyeuses pour arroser cette ambition, qu'elle n'osait dire aux voisines jalouses!

C'était par un dimanche d'automne. Seigneur! le beau jour! comme le soleil était brillant dans le ciel profond et pur! Il y avait un mois déjà que le pauvre

Léon n'avait vu la campagne. Il sortit de Paris par je ne sais quelle barrière et s'en alla tout seul. Autour de Paris, c'est bien plus laid que Paris lui-même. Ce n'est plus la ville; ce ne sont pas encore les champs. L'ennui monte au cerveau à la vue de ces villas bourgeoises qui semblent autant de gageures gagnées par le mauvais goût contre le sens commun. Léon passa, jetant à droite et à gauche son regard distrait, et se demandant pourquoi les maîtres maçons avaient fait à la capitale des arts une si burlesque ceinture.—Il arriva au Petit-Montrouge, dont il ne savait pas le nom.—Au bout du village, une grille de fer forgé fermait une pelouse derrière laquelle était un bosquet. Au delà du bosquet, il y avait un pavillon.

Tout cela datait de loin. Les arbres étaient magnifiques; la grille élégante et svelte semblait railler ces lourdes barrières de fonte que le commerce retiré et jouant au seigneur plante au-devant de sa petite cour. Le pavillon, harmonieux et simple, n'avait point à son faîte le hideux belvédère en vitres rouges et bleues. Cela datait de loin.

Sur la pelouse, des fillettes jouaient. C'était une pension.

Léon était venu chercher des arbres. Il regarda les grands tilleuls et les marronniers dont les feuilles mourantes se teignaient de pourpre. Comme il regardait, un volant passa au travers de la grille et vint tomber à ses pieds.

Une jeune fille s'élança, toute rose et souriante, donnant ses cheveux blonds au vent de sa course.

—Mon volant, s'il vous plaît, monsieur? dit-elle.

Si vous l'aviez vue! si vous aviez entendu, cette voix.

Elle avait une robe de mousseline blanche à petites raies bleues.—Léon se souvenait de cela.

Il se baissa et faillit tomber en avant comme s'il eût été ivre. Il rendit le volant. On lui sourit et on lui dit merci.

Ce fut tout.—Mon Dieu! que faut-il de plus?—Voilà pourquoi le pauvre Léon devint fou.

Voilà pourquoi il déserta l'étude où était son avenir; voilà pourquoi il ne parla plus guère de travailler ni de parvenir dans ses lettres à sa mère; voilà pourquoi il fit la connaissance de ce tailleur qui habillait un membre du Jockey-Club et des courtiers marrons; voilà pourquoi il loua cet appartement de trois pièces avec terrasse; voilà pourquoi il acheta des fleurs avec l'argent de ses repas, et pourquoi il dépensa son mince revenu à louer des juments de manége.

Le pavillon de Montrouge appartenait à la pension Géran; la jeune fille au volant était notre Césarine.

Léon sut presque tout de suite que Césarine était la fille unique de M. le comte de Mersanz, dont maître Souëf était le notaire, et qui avait huit cent mille livres de rente.

Il prit de la mélancolie, mais il continua de faire à la jeune fille cette cour bizarre et muette qui le ruinait. Jamais il n'avait parlé à Césarine!

Il vint se rasseoir auprès de la table et mangea un petit morceau de pain dur avec un peu de fromage. Il but un verre d'eau.

Quand cela fut fait, il dit avec une sorte de contentement, exempt de toute fanfaronnade:

—J'ai fait mon dernier repas.

Franchement, l'idée de ne pas recommencer un pareil festin n'avait rien d'affligeant.

Il dénoua le paquet de papiers. C'étaient toutes ses lettres à Césarine. Il en lut deux ou trois et pleura une larme. Son pauvre cœur d'enfant faible et fou était là. L'amour vrai parle toujours bien, surtout le jeune amour. Ces lettres eussent fait rire les camarades de Léon Rodelet; pourtant, elles étaient belles. Léon les repoussa loin de lui comme s'il eût craint de céder à la tentation de les relire toutes.

—Je veux que tout soit fini avant la nuit, murmura-t-il.

Il y avait encore un peu d'encre au fond d'une écritoire et une feuille de papier blanc restait. Léon prit sa plume.

Il écrivit:

«Je me suis familiarisé avec vous à force de vous parler. Vous ne m'entendez pas, mais qu'importe? Il y a déjà bien longtemps que je ne vous appelle plus mademoiselle. Aurez-vous un sourire de pitié en me lisant? car, cette fois, vous me lirez.—Vous devez être bonne comme les anges dont vous avez la beauté. Vous me plaindrez peut-être.

»Si j'avais été riche et noble comme vous, Césarine, m'auriez-vous aimé? Moi, j'aurais bien voulu être noble et riche pour vous aimer pauvre, pour vous aimer humble. Ah! si j'avais pu seulement baiser le bout de vos doigts avant de mourir.

»Depuis que je vous connais, voici le premier jour où je suis tranquille. Hier, je vivais encore: c'est-à-dire que je craignais et que j'espérais. Aujourd'hui, je ne crains rien: je vous aime comme je vous aimerai demain dans le ciel.

»J'étais pieux avant de venir à Paris. A cette heure, je voudrais causer avec le bon vieux prêtre qui dirigea mon enfance. Je voudrais lui faire comprendre la nécessité absolue où je suis de quitter la vie et qu'il me consolât comme on console les condamnés à mort. Je m'exprime mal: consoler n'est pas le mot. Je voudrais... et pourquoi ne pas l'avouer? je voudrais lui dire comme vous êtes belle et comme je vous adore.

»Je n'ai rien eu de cette passion, Césarine. Je n'ai jamais dit votre nom à personne. Je vous cachais comme une maîtresse chérie. J'avais peur de porter mon amour écrit sur mon front.

»Un seul homme l'a deviné. Pourquoi? Parce qu'il vous aime.—Un fou pareil à moi, un soldat obscur, sans nom, sans avenir,—le plus digne cœur, l'âme la plus vaillante et la plus droite qui soit au monde.

»Si jamais, ce qui est impossible, vous aviez besoin de secours ou d'appui, souvenez-vous de celui-là. Il ne se tuera pas. Il sait souffrir. Souvenez-vous du lieutenant Vital.

»La première fois que j'ai deviné son amour pour vous, j'ai eu la pensée de le provoquer en duel.—Maintenant, je ne suis vraiment plus de ce monde.

Césarine, enfant adoré; je sens que je veillerai sur vous après ma mort. Si le hasard le mettait à votre niveau, Vital vous rendrait bien heureuse.

»Je l'aime. Il m'a aidé de son cœur et de sa bourse: pauvre bourse de lieutenant! Quelque chose me dit que vous le connaîtrez et que vous l'aimerez. Parlez de moi tous deux.

»Césarine, je ne regrette pas de vous avoir aimée. Vous avez été ma perte, mais aussi mon bonheur. Peut-on payer trop, même au prix de la mort, le rêve délicieux que j'ai fait? J'ai vécu un an tout entier avec ce rêve; je vous ai eue à moi dans la veille enchantée de mes nuits; je me suis agenouillé, ivre de joie, devant votre candeur que la couche nuptiale effrayait. Que sais-je? ma main tremble, mon cœur bat, oppressé par l'allégresse... Oh! n'espérez pas, n'espérez pas trouver jamais un amour comme était le mien!

»Je vous envoie toutes mes lettres, toutes. C'est mon âme. J'ai vingt-deux ans. Ma mère n'avait que moi.

»Adieu! Je baise ardemment ce papier que vous toucherez. Soyez heureuse. Mettez mon nom dans votre prière, qui doit aller tout droit vers Dieu.—Savez-vous mon dernier souhait? Une fleur cueillie par vous et portée par vous sous votre corsage, tout près de votre cœur, puis jetée sur ma tombe... Adieu!...

Il signa. Puis il fit un paquet des anciennes lettres et cacheta le tout avec de la cire noire. Pauvre Léon! il calculait sa petite mise en scène mortuaire. Sur le paquet, il mit une adresse ainsi conçue:

«Au lieutenant Vital, pour remettre par n'importe quel moyen à mademoiselle C. de M...—Dernier service exigé par l'amitié.»

Après cela, que restait-il à faire? Prendre le pistolet, l'armer, poser le bout du canon contre la base du front et lâcher la détente.

Toutes choses éminemment simples et faciles au premier aspect.

Léon prit en effet le pistolet, qui était chargé depuis plusieurs jours. Il changea la capsule oxydée pour en mettre une autre toute neuve. Il fit jouer la gâchette deux ou trois fois.

Il arma définitivement, et son visage prit une expression tragique. Le canon froid toucha son front brûlant; cela le fit tressaillir.

Il remit le pistolet sur la table.

Le baron des Adrets n'aimait pas à nourrir ses prisonniers de guerre. Il les faisait monter au sommet d'une tour, et, après confession préalable, il les engageait à faire le saut périlleux. Les pauvres diables obéissaient, ne pouvant résister. Il y eut un coquin de Gascon qui prit son élan deux fois de suite et s'arrêta par deux fois au parapet de la tour.

—Eh! paillard, lui cria des Adrets, n'as-tu pas honte de t'y prendre ainsi à trois fois?

Le Gascon répondit sans hésiter:

—Capédédiou! on vous le donne en cent, monsu le baron!

Des Adrets se mit à rire et lui fit grâce.

Le Suicide, ce dieu fiévreux, fils bâtard de l'Orgueil et de la Faiblesse, est un peu comme le baron des Adrets. On l'a vu pardonner quelquefois aux Gascons qu'il tient en ses serres.

Léon était de Chartres; mais, sur la tour des Adrets, un fils de Pontoise fût devenu Gascon.

Léon pensa qu'il n'avait pas écrit à sa mère.

Que lui dire?

Il y avait encore du pain et du fromage pour un jour,—et peut-on mourir comme cela sans avoir même ouvert son courrier?

Qui sait! parfois, dans ces lettres qui arrivent un jour de suicide, on trouve de bien bonnes choses: des successions...

On ne connaît pas tous les oncles qu'on peut avoir en Amérique.

Léon passa ses doigts glacés dans ses cheveux.

—Est-ce que je serais un lâche? se demanda-t-il.

Et il ressaisit d'un geste convulsif le pistolet fatal.

Mais en ce moment on frappa rudement à sa porte; et, comme Léon n'allait pas ouvrir assez vite, le visiteur inattendu tourna lui-même dans la serrure la clef qui était restée en dehors.

Convenez que Léon n'avait pas les premières notions du suicide. Laisser sa clef sur sa porte.—Mais l'expérience vient avec l'âge. Une autre fois il ferait mieux.

—Monsieur Léon Rodelet! dit une voix de basse-taille sur le seuil.

Léon se retourna et vit un personnage qu'il ne connaissait pas: habit bleu boutonné, gilet de velours à pointes tombant sur un pantalon noir à la cosaque; front fuyant très-découvert, nez d'aigle et moustaches grisâtres taillées en brosse dure.—Léon eut envie de nier son identité et de dire à cet individu qu'il se trompait.

Mais celui-ci le prévint et fit quelques pas à l'intérieur de la chambre.

—Je ne suis pas un créancier, jeune homme, dit-il d'un air important;—je viens, au contraire, vous tirer d'embarras.

—Qui vous a dit que je fusse dans l'embarras? demanda Léon offensé.

L'homme à moustaches se mit à rire.

—Le bruit public, répondit-il.

Puis, changeant de ton et d'allures tout à coup, il s'approcha de Léon et lui arracha brusquement son pistolet.

—Insensé! déclama-t-il avec les inflexions onctueuses d'un père noble,—vous vouliez attenter à vos jours.

—Monsieur!... voulut dire Léon stupéfait.

—Silence! interrompit l'habit bleu boutonné, qui désarma le pistolet et le jeta à l'autre bout de la chambre;—la Providence m'a envoyé vers vous. Je vous domine de toute la hauteur de ma vertu!

Il avait croisé ses bras sur sa poitrine.

—M'apprendrez-vous...? commença encore Léon.

—Silence!

L'habit bleu prit une chaise et s'éventa à l'aide d'un vaste foulard.

—C'est haut, chez vous, reprit-il d'un accent moins emphatique.—Vous devez trois termes ici: combien avez-vous de loyer?

—Monsieur, dit Léon résolûment,—je suis très-pauvre, j'essayerais en vain de le nier... Mais je vous préviens que je n'accepte pas la charité et que je ne souffre pas l'insolence... Exposez-moi, s'il vous plaît, le motif de votre venue clairement, brièvement surtout, et puis...

—Et puis?... répéta l'habit bleu, qui cligna de l'œil en le regardant.

—Et puis sortez! acheva Léon en montrant du doigt la porte.

L'habit bleu fit un signe de tête approbateur.

—Vous êtes un gentil garçon, dit-il.

En même temps, il tira de sa poche un étui à cigares et choisit avec soin un panatelas dont il coupa le bout avec les dents.—Il alluma un amadou chimique.

—Fume-t-on chez vous? demanda-t-il en humant les premières bouffées.

Léon se leva, indigné. L'habit bleu posa tranquillement son cigare sur la table et lui prit les deux poignets qu'il serra. Léon laissa échapper un cri de douleur.

—Mon jeune ami, dit l'intrus,—faites bien attention à une chose: je vous croquerais comme une rave si je voulais.

—Mais enfin, s'écria Léon, dont la colère s'augmentait par son impuissance même,—que veut dire tout cela et que voulez-vous?

—Parbleu! mon fils, nous avons le temps, répliqua l'inconnu;—vous vous brûlerez la cervelle aussi bien demain qu'aujourd'hui, n'est-ce pas? Soyons donc raisonnables, que diable! et ne commençons pas par nous quereller, quand nous sommes destinés, suivant toute apparence, à être les meilleurs amis du monde.

Il le lâcha et reprit son cigare en disant:

—Peut-on vous en offrir?

—Non, répondit Léon.

—A la bonne heure... je ne trouve pas mauvais que vous ne fumiez pas, moi, vous voyez bien...

—Il ne manquerait plus que cela! s'écria Léon.

—Mon Dieu, mon cher garçon, si je vous disais de fumer, vous fumeriez, parbleu! comme un feu de bois vert.

—Il faudrait voir...

—Ah! ah! c'est tout vu, mon jeune camarade... j'en ai brûlé de plus méchants que vous... par les deux bouts encore, comme nous disions à l'armée... Pour ne pas revenir sur ce sujet toujours pénible à traiter, je suis fort comme le levier d'Archimède, et j'ai trente-sept ans de salle, dont trente et un employés inutilement à chercher le maître, le prévôt ou n'importe, capable de me rendre un coup de bouton pour trois.

Il caressa la brosse grise qu'il avait sous le nez. Cela rendit un son strident comme si on eût passé la main sur une corde.

Léon l'examinait maintenant curieusement.—On n'en peut vouloir beaucoup et à fond à l'homme qui vient vous conter des balivernes tout en détachant la corde où l'on va se pendre.

Cet homme, du reste, était vraiment un peu au-dessus de ses manières et de son langage. Ce pouvait être un bretteur de bas ordre; mais alors il avait dû fréquenter des gens à demi comme il faut.

Son costume était cossu, et il ne portait sur sa personne aucun de ces stigmates de misère, maladroitement cachés, qui marquent si énergiquement les batteurs de pavé.

Pendant que Léon le regardait, il eut la complaisante délicatesse de tenir ses yeux fixés sur la terrasse.

—Est-ce assez? demanda-t-il à la fin;—me reconnaîtrez-vous à l'occasion?... Pour plus de commodité, je vais vous dire qui je suis: M. Garnier de Clérambault, ancien officier supérieur, exerçant à Paris une profession délicate et honorable dans laquelle de nombreux succès ont couronné ses efforts... et que le dieu des bonnes gens envoie vers vous, mon petit homme, pour vous dire: «Vous êtes gueux comme un rat: voulez-vous de l'argent?... Vous êtes amoureux comme feu Céladon et plus timide que Némorin le pasteur: voulez-vous qu'on vous donne les moyens de voir votre belle d'un peu plus près?...» Voilà, ma vieille... Ce n'est pas la peine de s'arracher les yeux, pas vrai? Et nous allons nous entendre comme deux bons enfants, j'en suis sûr... Touchez là.

V

—La gageure.—

La figure de Léon Rodelet avait pris une expression de réserve défiante. C'était un honnête jeune homme, bien qu'il glissât depuis longtemps déjà sur la pente au bas de laquelle sont toutes les folies et toutes les chutes.—Son coup de pistolet l'eût arrêté au moment où il n'avait encore commis que de pauvres fredaines d'enfant naïf et faible.

—Monsieur, dit-il,—j'ai beau chercher, je ne puis trouver aucune espèce de motif plausible à l'intérêt que vous voulez bien me témoigner et que je n'ai pas sollicité.

—Entendons-nous! interrompit M. Garnier de Clérambault,—je n'ai pas dit que je vous portasse le moindre intérêt.

—Vos offres...

—J'ai parlé d'une affaire...

—Je ne fais pas d'affaires, monsieur.

—Par exemple! s'écria l'habit bleu, qui haussa les épaules:—tout le monde fait des affaires, mon bon!... Tenez, quand vous avez loué cet appartement, sachant bien que vous ne pourriez point payer, c'était une affaire... Quand vous avez couvert de fleurs cette terrasse au lieu d'acheter une couverture passable pour votre grabat, c'était encore une affaire... Ne changez pas de couleur et ne vous emportez pas, c'est dans votre intérêt que je discute en ce moment... Pour faire des affaires, il n'est pas du tout indispensable d'avoir des marchandises à livrer... Moi qui remue des millions, je n'ai ni un mètre de toile, ni une tasse de café...

—Vous avez peut-être quelque talent...

—Beaucoup de talent, mon fils, c'est vrai; mais c'est en quelque sorte du luxe...

—Moi, dit Léon, dont les yeux se tournaient toujours vers la porte,—je vous avoue franchement que je ne sais aucun métier, que je ne me connais aucune aptitude... et que je suis parfaitement résolu, en dernière analyse, à ne faire aucune affaire avec vous.

M. Garnier de Clérambault prit son cigare délicatement entre l'index et le pouce, se renversa sur sa chaise, et lança au plafond, selon l'art, une longue spirale de fumée.

—Moi, mon bon, répliqua-t-il,—je vous avoue franchement que j'ai besoin de vous et que vous ferez,—en dernière analyse,—tout ce que je voudrai... Il ne s'agit ni de métier ni d'aptitude... Vous êtes déplorablement bavard,-comme tous les enfants... Voici le cas: je cherche un homme dans certaine position; vous avez cette position... elle n'est pas belle... je vous agrafe au collet, et quand je tiens quelqu'un, je vous prie de croire que je ne le lâche pas.

—Prétendriez-vous user de violence? dit Léon.

—Allons donc! fit l'habit bleu;—vous faites des questions de l'autre monde!... Voulez-vous me permettre, d'ailleurs, de supposer le cas où un agent de l'autorité pénétrerait ici sur votre appel ou autrement... Ma philanthropie est bien connue. Il y a dans cette mansarde, sans compter le pistolet, dix fois plus de preuves qu'il n'en faut pour établir la préméditation d'un suicide... Eh bien, me voilà, moi, Garnier de Clérambault, ami éclairé de l'humanité...

Il se leva et acheva en fourrant sa main sous le revers de son habit bleu, à la place du cœur:

—Me voilà! fidèle aux principes de toute ma vie! J'ai monté cinq étages au-dessus de l'entre-sol pour empêcher un malheureux enfant d'attenter à ses jours!

Il n'y a pas dans notre génération un seul jeune homme armé contre cette façon d'argumenter qui consiste à tourner au comique un beau mouvement ou un sentiment respectable. C'est l'esprit du siècle; c'en est aussi la plaie. Nous avons tous ri aux sacriléges gaietés de Robert Macaire. La moquerie est chez nous un géant assez grand pour étouffer dans ses bras le dieu de l'éloquence.

Léon eut un sourire.

—Vous êtes, dit-il, un plaisant original.

—Je suis M. Garnier de Clérambault, s'il vous plaît, mon petit homme, repartit l'habit bleu avec fatuité;—je fréquente le grand monde, j'en ai, je crois, les manières... Mais, quand je suis forcé de m'aboucher avec Pierre ou Paul, je tâche d'imiter Alcibiade et de siffler avec les merles... Voyons un peu: pourquoi vouliez-vous vous brûler la cervelle?

—Ceci me regarde, monsieur.

—Beau secret! fit l'habit bleu;—voici un paquet adressé à mademoiselle Césarine de Mersanz...

—Monsieur!... interrompit Léon, pâle de colère et aussi d'étonnement.

—Ce paquet, poursuivit Clérambault,—contient une certaine quantité de fadaises qui se résument par celle-ci: «Vivant, je n'aurais pas osé vous imposer mon style; mais, à l'heure où vous recevrez ce colis, j'aurais cessé d'exister; en conséquence...»

—Vous passez toutes bornes, monsieur, interrompit Léon;—or, je vous prie de sortir de chez moi.

Au lieu d'obéir, Clérambault prit une des lettres qui se trouvaient sur la table. Léon voulut la lui arracher: il contint Léon de la main gauche comme il eût fait d'un enfant.—De la main droite, il décacheta tranquillement la lettre.

—Comment! dit-il avant de lire,—vous n'avez pas même eu la curiosité de lire ce qu'il y avait dans tout cela!... Moi qui comptais d'abord vous écrire. Vous vous seriez, parbleu! fait sauter le crâne à côté de mon autographe!

Léon écumait. Il faisait effort pour ressaisir la lettre ouverte.

Clérambault lut:

«Paris, 3 mai 1836...»

—Elle a déjà quatre jours!... s'interrompit-il.—Bon! bon! se reprit-il,—une tête imprimée... «Shlossmaker et Mariembach, tailleurs...» Vous connaissiez l'écriture, vous saviez d'avance... Ma parole! ils vous menacent de vous fourrer à Clichy!...

—Sur mon honneur! criait Léon avec rage, vous me payerez ceci, monsieur!... Je veux vivre en effet, pour vous tuer comme un chien partout où je vous rencontrerai!

—Voilà déjà un pas de fait, riposta l'imperturbable habit bleu;—vous voulez vivre... je vous dis que nous allons nous entendre!

Il prit une autre lettre.

—Elle était du propriétaire et contenait aussi des menaces.

Une troisième, signée par le traiteur, était bourrée de gros mots.

Au moment où Clérambault avançait la main pour saisir la quatrième, Léon lui cria d'une voix étranglée:

—C'est de ma mère!

—Voyons ce qu'elle dit, répliqua Clérambault;—si elle me voyait en ce moment, croyez-vous qu'elle ne tomberait pas aux genoux du sauveur de son fils!...—La paix! s'interrompit-il encore d'un ton presque sérieux;—je respecte votre mère, jeune homme... J'ai été jeune aussi; j'ai eu des hauts et des bas... Toutes vos misérables petites souffrances sont des enfantillages auprès des tortures que j'ai endurées, moi, Garnier de Clérambault, gentilhomme et fils de famille... Mais je n'ai jamais songé à me détruire, parce que j'aimais ma mère!

Léon courba la tête. C'était un enfant. Clérambault jeta un rapide coup d'œil sur le contenu de la lettre.

—Elle a raison, dit-il gravement;—je l'approuve de toutes mes forces... Elle supprime la pension de cent cinquante francs par mois qu'elle vous faisait.

—J'aurais voulu, murmura Léon affaissé sur lui-même,—j'aurais voulu mourir avant de savoir cela!

Clérambault le lâcha. Léon n'était plus en mesure de se révolter contre la grossière obsession de cet homme. Son propre accablement le domptait. L'habit bleu profita de cela pour lire encore deux ou trois lettres qui toutes invectivaient et menaçaient.

—C'est monotone, dit-il en gardant la dernière entre ses doigts sans l'ouvrir.—Résumé général: vous n'avez plus crédit nulle part; tout le monde veut vous mettre à Clichy; votre propriétaire va vous jeter dehors, et madame votre mère vous coupe les vivres. Voilà votre passif.—A l'actif, nous trouvons une trentaine de pots de fleurs, le mobilier spartiate qui meuble ce séjour et un paquet de lettres, probablement très-ridicules, adressées à une jeune fille archimillionnaire qui ne vous connaît pas...

Il se leva et fit un tour dans la chambre; après quoi, il ramassa le pistolet, qu'il rapporta sur la table.

—Ma foi, mon jeune camarade, reprit-il,—je ne vous croyais pas si bas. Cette coquine de pension supprimée rembrunit les horizons. Avec cent cinquante francs par mois, on fait semblant de vivre, et cela suffit quelquefois, en attendant qu'on gagne au gros lot à la loterie de l'existence humaine... mais rien! ce n'est pas assez... Je conçois maintenant votre idée de vous faire sauter la cervelle, et, franchement, si mon offre ne vous va pas, je vous laisserai tranquille.

Voyez un peu comme nous sommes faits. Cette conclusion produisit sur Léon Rodelet une impression pénible. Tout à l'heure, il se serait battu pour conquérir le droit de se briser le crâne; maintenant, l'idée de se retrouver seul en face de la mort l'épouvanta. Il faut donc bien confesser, en allant au fin fond des choses, que l'importunité de ce grand brutal d'habit bleu n'était pas aussi cruelle qu'on pourrait le penser.

Léon commençait à y tenir; il avait peur de la voir cesser.

—Monsieur, dit-il, n'ayant garde de laisser percer ce bout d'oreille,—au dénoûment de cet obscur et triste drame qui a été ma vie, vous êtes venu jeter un intermède grotesque. Vous avez usé de violence envers moi; je suis si las, mon indifférence est si profonde, que je n'ai pas déployé contre vous, en cette circonstance, l'énergie d'un homme. Je le sais; je ne m'en repens pas. A quoi m'eût servi de punir votre insolence ou de briser ma faiblesse contre votre force? Je ne sais si vous êtes un fou, comme je l'ai cru d'abord; je ne sais si vous êtes un marchandeur de conscience, comme j'ai dû le penser quand vous êtes entré, malgré moi, dans le secret de ma détresse. Peu m'importe assurément... Vous avez parlé de me donner de l'argent, cela prouve que vous me prenez pour un autre...

Il s'arrêta un instant, et poursuivit en baissant la voix:

—Vous avez parlé aussi...

—D'un pont jeté sur le fleuve de l'impossible? interrompit l'habit bleu.—Oui, oui..., j'ai parlé de cela... Savez vous, mon petit homme, que vous vous exprimez avec correction et facilité?... Il y a de l'étoffe chez vous, c'est positif. Pourquoi diable n'êtes-vous pas devenu amoureux de la fille d'un avoué? Il y en a de fort agréables...

—Vous trouverez sans doute comme moi, monsieur, interrompit Léon,—que l'intermède a trop duré... Si vous avez réellement des propositions à me faire, faites; sinon, veuillez me laisser.

—Il est gentil tout plein! murmura Clérambault, qui rapprocha son siége de celui de Léon.

—Jeune homme, reprit-il avec une gravité nouvelle,—je me sens pour vous le cœur d'un oncle. Je suis un homme d'affaires, il est vrai, mais j'ai de l'âme, beaucoup d'âme... et même de la sensibilité naturelle... Causons raison: dans ma toute petite enfance, j'ai ouï parler de rois qui avaient épousé des bergères...

Léon, qui avait pris une pose attentive, fit un geste d'impatience. Clérambault lui frappa sur l'épaule paternellement.

—Ce n'est pas le cas, je sais bien, dit-il; vous voudriez causer de bergers qui épousent des reines... Mon Dieu! l'un est aussi vraisemblable que l'autre... Dans les cartons de votre honoré patron, maître Souëf (Isidore-Adalbert), avez-vous vu par hasard quelquefois le contrat de mariage de M. le comte Achille de Mersanz.

—Je n'ai jamais fouillé les cartons du patron, répondit Léon;—en outre, ce qui se fait à l'étude reste à l'étude.

—J'entends bien! j'entends bien! La discrétion, diable!... Le notariat est un sacerdoce... J'exerce aussi une profession très-délicate... qui est également un sacerdoce... Et vous me hacheriez menu comme chair à pâté, mon fils, ce qui ne serait pas aisé, vu que je suis un peu dur, avant de me faire trahir un secret gros comme la tête d'une épingle... Je vous parlais de ce contrat tout bonnement à l'occasion des bergères qui ont épousé des rois.

—Madame la comtesse de Mersanz, dit Léon, qui prenait désormais, malgré lui, intérêt à l'entretien,—était, je crois, une demoiselle Béatrice Roger, fille d'un ancien militaire.

—Bien, bien, jeune homme! interrompit sévèrement l'habit bleu;—je ne vous en demande pas tant... mettez vos maximes en pratique et soyez discret, c'est un conseil que je vous donne.

Léon se mit à rire.

—Tout le monde sait cela, dit-il.

—Très-bien... c'est un sujet brûlant, voyez vous... j'exerce une profession... mais je vous l'ai déjà dit...

—Non pas... vous ne m'avez pas dit la profession que vous exercez.

—Et vous désirez le savoir, pas vrai?

—S'il n'y a pas d'indiscrétion...

Clérambault fourra sa main entre deux boutons d'or de son habit, comme c'était son habitude quand il voulait produire un bel effet oratoire; puis il s'exprima en ces termes:

—Mon jeune ami, le mariage est la sauvegarde des sociétés et, s'il est permis de s'exprimer ainsi, le pilier qui soutient encore l'édifice ébranlé de la famille. En conséquence, plus il y a de mariages, plus il y a de piliers et plus, par suite, se consolide et s'étaye le monument social menacé de ruine... Il s'est rencontré, dans ces derniers temps, un homme jeune encore, ou du moins bien conservé, jouissant d'une position honorable, franc-maçon, membre de la société philanthropico-magnétologique, ancien officier supérieur, décoré de plusieurs ordres étrangers; il s'est, dis-je, rencontré un homme qui a consacré à la construction de ces colonnes symboliques sa force, son intelligence, sa vie tout entière...

—Vous êtes...? commença Léon.

Mais M. Garnier de Clérambault l'arrêta d'un geste et poursuivit:

—Par son âge, fait pour inspirer la confiance, par sa position de fortune indépendante, par son caractère impartial qui le met à l'abri des entraînements politiques, par les relations qu'il a dans la haute société, cet homme est à même de rendre d'immenses services. Il a su se créer une clientèle imposante par la seule puissance de ses ressources personnelles. Il est le seul qui puisse offrir aux amateurs des dots graduées, depuis trois cents francs jusqu'à sept millions et demi...

Léon salua.

—En un mot, vous faites des mariages, dit-il.

—Voilà, mon biribi, répliqua M. Garnier de Clérambault retombant tout à coup des hauteurs de son prospectus au niveau vulgaire du sol.

Il tapa sur la cuisse de Léon.

—Que me donneriez vous, mon fils, demanda-t-il,—si je mariais certain cinquième clerc non appointé de l'étude Souëf à l'héritière de huit cent mille livres de rentes?

Léon devint pâle.

—Ne plaisantez pas avec cela, dit-il.

—Je ne plaisante jamais quand il s'agit de mariage, repartit l'habit bleu.—Il y a des choses difficiles; je ne connais pas de choses impossibles... Vous allez voir que nous avons déjà quelques barreaux à notre échelle pour monter à l'assaut...

—Serait-il vrai?... balbutia Léon, dont le regard se ranima.

Garnier de Clérambault cligna de l'œil d'un air capable.

—Vous allez voir! répéta-t-il.

Léon restait bouche béante. Il était tout oreilles, comme un enfant à qui le charlatan promet un miracle.

—Césarine vous a remarqué, et d'un!... commença l'habit bleu.

Léon faillit tomber à la renverse avec sa chaise.

—Eh bien, reprit M. Garnier de Clérambault,—qu'y a-t-il d'étonnant à cela? Vous n'êtes pas mal, mon garçon, pas mal du tout... vous êtes assez bien couvert, quoi que vous ayez toujours à peu près la même chose... Pour un débutant qui n'a que douze ou treize mois de manége, vous montez très-passablement... A l'occasion, je vous dis ceci: quand vous serez fatigué du manége, prenez la salle d'armes... cela donne de la tenue, croyez-moi... M'avez vous vu dans un salon? Malgré mon âge, toutes ces dames me regardent; la salle d'armes y est pour beaucoup. On y recueille le développement, la grâce et la santé... Pour en revenir, les fleurs de la terrasse ont fait aussi bon effet... on vous regarde, on sait votre nom... Pourquoi ne vous appelez-vous pas Noailles ou Monaco?... On s'occupe de vous, on cause de vous...

—Avec qui? demanda Léon, qui suait à grosses gouttes.

—Curieux! répondit l'habit bleu en souriant.

Puis il ajouta:

—Puisque je vous dis que nous avons des échelons...

—Par grâce, expliquez-vous! s'écria Léon, vous me faites mourir!

—Ah ça! dit l'habit bleu, vous me la donnez belle! Est-ce que ce n'est pas pour être remarqué que vous jouiez au gentleman-rider sur votre jument de louage?

—Je n'espérais pas...

—Laissez donc!... je vous ai vu saluer... c'est énorme, cela!

—On ne me répondait jamais...

—On faisait mieux... on rougissait... on souriait!... Je vous dis, moi, que c'est énorme!... et, quand vous étiez passé, le caquet allait son train.

—Avec cette jeune fille?... la compagne de mademoiselle de Mersanz?...

—Maxence..., prononça tout bas le marieur.

—Vous savez aussi son nom?... s'écria Léon.

M. Garnier de Clérambault pinça ses grosses lèvres de manière à hérisser sa moustache comme les dards d'un porc-épic.

—Quant à cela, oui, répondit-il,—je sais son nom, à celle-là... Et qui donc le saurait, sinon moi?... Maxence est...

Il s'interrompit brusquement et à dessein, comme s'il eût voulu donner à croire qu'il avait été sur le point de laisser échapper un grand secret.

—Peu importe, reprit-il,—ce qu'elle est ou ce qu'elle n'est point, n'est-ce pas?... Ce n'est pas de Maxence qu'il s'agit.

—Elles ont l'air de s'aimer si tendrement toutes deux, dit Léon.

—Elles sont comme deux sœurs, quoi! appuya M. Garnier de Clérambault, toujours ensemble et n'ayant point de secrets l'une pour l'autre.

—Et c'est par mademoiselle Maxence de Sainte-Croix que vous savez?...

—Stop! fit Clérambault;-halte-là, mon rat!... Valga me Dios! comme nous disions dans la Péninsule, vous allez trop vite!... serrons un ris à notre grande voile... Avez vous navigué? Non? Ça veut dire: diminuons la vapeur... et permettez-moi de vous répéter ma question: Combien donneriez-vous à celui qui vous marierait bel et bien, vous, M. Léon Rodelet, possédant en revenus nets, et quittes d'impôt, zéro francs, zéro centimes, au diplomate qui vous marierait avec mademoiselle Césarine de Mersanz?

—Le plus pur de mon sang, s'il voulait! s'écria Léon avec feu.

—Peuh! fit l'habit bleu, votre sang!... Shylock en buvait, mais c'était un juif... On ne dispute pas des goûts... moi, je mange volontiers du boudin: c'est du sang, mais pas de cinquième clerc amoureux... A combien évaluez-vous le plus pur de votre sang?

—Je n'ai rien, vous le savez.

—Le moins qu'on puisse donner en mariage à mademoiselle de Mersanz... commença l'habit bleu.

—Eh! fit Léon,—que m'importe cela!

—Comment! comment! que vous importe cela?

—Plût au ciel qu'on ne lui donnât rien du tout!

—Alors, votre serviteur, mon pigeon! je vous offrirais ma démission tout de suite... Ne bavardons pas en l'air et posons des chiffres... On donne ordinairement au diplomate un tant pour cent... mais c'est pour les mariages ordinaires... ici, nous avons des difficultés presque insurmontables...

—Mais, objecta Léon, je vous répète que je n'ai rien... rien!

—C'est précisément pourquoi il faut donner davantage... cela tombe sous le sens, mon bon!

—Quand on n'a rien, que diable!...

—Que diable! on a plus de peine à rafler une héritière...

—Monsieur!...

—Vous êtes d'une jeunesse intolérable avec vos monsieur! J'aurais déjà dû vingt fois vous planter là, monsieur!... Est-ce que vous n'êtes pas majeur, monsieur!... Est-ce que vous n'avez pas dix doigts pour me signer des lettres de change, monsieur!... Vous êtes amoureux ou vous ne l'êtes pas, monsieur!... Si vous êtes amoureux, faites ce qu'il faut pour épouser; si vous ne l'êtes pas, allez au diable, monsieur!

Pour le coup, il était en colère, ce bon habit bleu! Il appuyait sur ce mot monsieur avec une amertume terrible.

—J'aurais beau vous signer des lettres de change, mon cher monsieur, dit Léon,—avec quoi les payerais-je?

M. Garnier de Clérambault prit son chapeau à larges bords et le planta sur sa tête.

—Et, si vous ne me payez pas, pourquoi vous marierais-je, moi, mon cher petit? demanda-t-il en regardant Léon fixement.

—Écoutez, dit celui-ci,—si jamais je possède quelque chose, je vous jure...

—Ta ta ta!... ta ta ta!... chansons!

—Mais je ne peux pourtant pas engager la dot! s'écria Léon.

M. Garnier de Clérambault poussa un retentissant éclat de rire.

—Tenez, tenez, fit-il, ce dernier mot est splendide:—je gagnerais vingt-cinq louis, rien qu'à conter cette scène à un directeur de théâtre!... il me ferait faire un scénario par un maçon habile et vieillot... un petit jeune homme écrirait la chose... et votre rôle serait joué par Arnal... Tudieu! vous avez déjà sur la dot des idées de bon père de famille!... Mon petit ange, moi, je prends des années, j'ai besoin de me faire des ressources pour mes vieux jours; car, Dieu merci, je vivrai comme Mathusalem!... Si vous voulez me donner cent mille écus d'étrennes, je m'attelle à votre affaire...

—Cent mille écus! s'écria Léon.

—Ma parole! vous êtes superbe! Ne voulez-vous point comprendre que c'est un tour inconnu à M. Robert Houdin que de marier une mansarde nue avec trois ou quatre hôtels et une demi-douzaine de châteaux!... Cent mille écus!... j'en sais qui me donneraient un million pour une moins belle affaire... En dix-huit mois d'économies, vous aurez regagné cela, et votre femme n'en saura rien, seulement...

Léon réfléchissait. M. Garnier de Clérambault le considérait du coin de l'œil.

—Ah! fit-il, quand il jugea le moment opportun et comme s'il n'eût pu retenir cette parole,—si elle ne vous aimait pas, la folle enfant, comme je vous tirerais ma révérence!

—Que dites-vous? s'écria Léon, à qui le souffle manqua tout à coup;—qu'avez vous dit?

—Eh! parbleu! répliqua Clérambault d'un ton bourru,—je dis que les fillettes ont le diable au corps...

—Elle!... Césarine!... je serais aimé!... balbutiait Léon ivre et fou.

Il se couvrit le visage de ses deux mains, et de grosses larmes jaillirent au travers de ses doigts.—La botte de Clérambault battait le parquet avec impatience.

—Du diable si j'arrive à mon but! pensait-il;—j'y mets trop de finasserie!

—Voilà pourquoi je suis venu chez vous, reprit-il tout haut;—ce que c'est que les jeunes filles dans les pensions! Une jument de louage passe avec un blanc-bec dessus... Écoutez-moi bien, mon bon, j'ai déjà perdu beaucoup de temps ici et je n'ai pas le loisir de faire de la morale... vous réfléchirez à ce que je vous ai dit... En attendant, voici mon cas, à moi, et, si vous me refusez encore, que le tonnerre vous étouffe!... J'ai fait une gageure... j'ai parié que M. le comte de Mersanz était remarié depuis six ans, au moins... C'était pour cela que je vous demandais si son contrat de mariage vous était jamais tombé sous la main...

Il dit ceci très-légèrement en se levant pour sortir.—Léon n'écoutait guère. Léon était tout entier au bonheur inouï qui l'écrasait.

—Et je ne m'en doutais pas! répétait-il,—et j'allais mourir sans savoir cela!

—Vous comprenez bien, reprit l'habit bleu,—c'est un simple enfantillage, mais j'y tiens beaucoup.

—A quoi?

—A gagner mon pari.

—Quel pari?

—Vous ne m'avez donc pas entendu?

—J'ai entendu que vous me disiez: Elle vous aime!

—Parfait! nous jouons aux propos interrompus!... mon bon, cela n'est amusant qu'un tout petit moment... Je vous disais qu'il ne me serait pas impossible de vous faire voir votre idole... lui parler...

Léon appuya ses deux mains contre son cœur.

—Si, de votre côté, poursuivit l'habit bleu,—tachez, je vous prie, de m'écouter cette fois,... si, de votre côté, vous me donnez les moyens de gagner ce coquin de pari...

—Mais quel pari? répéta Léon.

—Un pari de cinq cents louis... c'est bien quelque chose, pas vrai?

—Au sujet de quoi?

—Au sujet du contrat de mariage de M. le comte de Mersanz.

La figure de Léon se rembrunit.

—Oh! mon petit, reprit Clérambault en riant,—ne prenez pas votre visage du dimanche!... Il ne s'agit pas du tout de trahir les secrets du patron!... La question est de savoir si le comte s'est remarié en 1829 ou en 1830...

—Et quel motif?...

—Par mon état, je parle sans cesse de mariage... J'aime à savoir au juste les dates: ça me pose... quand je ne sais pas, j'affirme tout de même... J'ai affirmé que le contrat était de 1829, voilà!

—Et comment me ferez-vous lui parler? demanda Léon.

—Mademoiselle Maxence de Sainte-Croix n'a rien à me refuser, répondit l'habit bleu,—je la marie.

C'était plausible, surtout pour notre Léon, qui n'avait pas même l'expérience ordinaire d'un cinquième clerc. Aussi, Léon n'était embarrassé que d'une chose.

—Je ne sais pas, dit-il en fouillant son cerveau,—je ne vois aucun moyen de vérifier cela.

—Quand vous gardez l'étude, insinua Clérambault.

—Jamais je ne garde l'étude.

—Savez-vous où est le dossier du comte de Mersanz!

—Sans doute... mais...

—Un coup d'œil est si vite jeté!... on vous charge de compulser un autre dossier, n'est-ce pas?... vous feignez de vous tromper...

Clérambault eut peur d'avoir dépassé le but. Léon levait sur lui un regard où renaissait la défiance. Il se hâta de poursuivre:

—Après ça, dix mille francs de plus ou de moins dans ma caisse, ce n'est pas une affaire... c'est plutôt pour l'honneur... Si vous ne voulez pas, dites-le franchement...

—Vouloir!... murmura Léon.

—Vouloir, c'est pouvoir! prononça gravement l'habit bleu.

—Quand la verrais-je?

—Sitôt le renseignement fourni, je me charge de vous introduire... vous passerez pour le cousin de Maxence... En somme, vous me plaisez, il n'y a pas à dire!... Quand je ferais un mariage gratis en ma vie, où serait le mal?...

—Oh! monsieur! s'écria Léon,—je n'ai rien voulu promettre parce que c'eût été contre ma conscience, mais croyez que je ne serais pas ingrat!

Clérambault lui donna, ma foi, une tape sur la joue.

—Vous êtes né coiffé, petit! dit-il avec un redoublement de bonhomie;— Maxence est capable de nous enlever cette affaire-là!... Voyons! est-ce entendu? Prenez votre chapeau et en route pour l'étude!

Léon fit un mouvement pour se lever, mais il retomba sur sa chaise.

—Il y a trois jours que je n'ai mis les pieds à l'étude, murmura-t-il.

—Eh bien?

—Eh bien!... je crains... Parmi ces lettres qui étaient sur la table, il y en avait une du maître clerc.

—Vous craignez quoi?... d'être remercié?... demanda l'habit bleu, qui jouait précisément avec la lettre du maître clerc.

Léon fit un signe de tête affirmatif.

—Parbleu! s'écria Clérambault,—nous allons en avoir le cœur net!... Dites-moi, vous avez dû me prendre pour un fier original quand vous m'avez vu ouvrir ainsi toutes vos lettres...

Tout en partant, il décachetait celle du maître clerc.

—Je suis fait comme cela, mon bon... pas d'obstacles!... Nature étonnante!... montant les côtes au grand galop... Ah! ah! vous verrez quand vous me connaîtrez mieux!

Il éloigna la lettre ouverte pour la mettre au point de sa vue presbyte.

—«Charles Glaise...» lut-il.

—Glayre, rectifia Léon.

—Charles Glayre.

—C'est le maître clerc.

—Voyons ce qu'il dit: «Mon cher confrère...»

Il mangea une douzaine de mots, puis il s'écria en aplatissant contre la table le papier énergiquement chiffonné:

—Quand je vous disais!... Ma parole d'honneur, vous êtes né coiffé!

—Qu'y a-t-il dans la lettre? demanda Léon.

—On ne vous renvoie pas, mon bon, répondit l'habit bleu, qui riait de tout son cœur;—on vous met en retenue... comprenez-vous?... on vous laisse tout seul à la maison pour punition de votre inexactitude... Voyez plutôt! c'est comme un fait exprès!

Il repassa la lettre sur le rebord de la table et lut à haute voix:

«Mon cher confrère!

«Le patron n'est pas content. Vous abusez de l'école buissonnière. Je ne sais s'il cherche un prétexte pour vous éliminer, mais il m'a chargé de vous écrire que vous veilleriez à l'étude aujourd'hui et demain, de six heures à onze heures du soir, afin de mettre de l'ordre dans les dossiers...

«Vous serez seul et nous vous souhaitons toute sorte de plaisir.»

L'idée vint à Léon que c'était l'habit bleu qui avait fait écrire cette lettre, tant elle arrivait à propos!

—Non, non! parole d'honneur! fit Clérambault, qui devinait sa pensée;—je ne connais le Charles Glayre ni d'Ève, ni d'Adam... non plus qu'aucun des petits messieurs qui décorent l'étude de maître Souëf (Isidore-Adalbert)... C'est tout simplement un coup du sort..., un quine que vous gagnez à la loterie d'amour... Voyez un peu la cascade: pour que vous puissiez approcher seulement mademoiselle Césarine de Mersanz, il fallait que Maxence fût son amie et que j'eusse tout pouvoir sur Maxence: ça y est! Il fallait, en second lieu, que je vinsse vous voir: j'y suis venu, malgré vos cinq étages et l'entre-sol!... Il fallait, en troisième lieu, que j'eusse besoin, par le plus grand de tous les hasards, de connaître la date d'un contrat de mariage et que ce contrat fût déposé dans l'étude de maître Souëf... C'est étonnant, pas vrai, quand on réfléchit?... Enfin, il fallait encore que maître Souëf, désireux de renvoyer un clerc trop amateur, vous imposât une pénitence dans le but de provoquer quelque rébellion de votre part... Tout s'y trouve, jusqu'à la pénitence!... Morbleu! mon jeune camarade, pour la troisième fois, je vous proclame coiffé de naissance... Touchez là!... J'aime les gens qui ont une étoile.

Il donna à Léon, qui restait tout étourdi, une vigoureuse poignée de main; puis il reprit:

—Voici quatre heures. A six heures, vous serez à l'étude; à onze heures, vous en sortirez... je vous attendrai rue de Babylone, et nous prendrons rendez-vous pour demain matin... j'aurai prévenu Maxence... Au revoir, heureux mortel!

Il se dirigea vers la porte; mais, avant d'en passer le seuil il se ravisa:

—Dites donc! fit-il en revenant;—on ne vit pas d'amour et d'eau fraîche... je veux que vous vous présentiez demain au combat avec tous vos avantages... Voici une dizaine de louis que vous me rendrez un jour ou l'autre... Pas de compliments... A tantôt!

Il déposa l'argent sur la table et sortit.

Comme la porte se refermait, Léon entendit sur le carré une voix très-bien connue qui disait:

—En voulez-vous?

Puis un petit éclat de rire, en même temps que le pas bruyant de l'habit bleu, qui descendait l'escalier quatre à quatre.

VI

—Inventaire d'un grenier.—

—Bonjour, monsieur Rodelet, dit la petite bonne femme qui poussa la porte sans façon.—Ne vous faut rien, cette après-dînée?

—Rien, répondit Léon.

Le regard vif et perçant de la petite bonne femme avait déjà fait le tour de la chambre.

—Un pistolet par terre, grommela-t-elle,—de l'argent sur la table!... Est-ce que vous le connaissez depuis longtemps, ce particulier qui sort d'ici?

—Tenez, maman, dit Léon au lieu de répondre,—je vous dois quelque chose...

—Et vous vouliez me faire banqueroute!... interrompit la petite bonne femme, qui s'en alla ramasser le pistolet.

—C'est qu'il est chargé! se reprit-elle après l'avoir examiné;—n'ayez pas peur, je sais manier ces outils-là... On me parlait de vous tout à l'heure, à la pension Géran...

—Qui donc? demanda vivement Léon.

—Curieux!... ce n'est pas la première fois...

—Vraiment!...

Léon avait l'eau à la bouche. Ceci confirmait victorieusement l'assertion de l'habit bleu. Césarine s'occupait de lui.

—Mademoiselle Maxence de Sainte-Croix..., commença la petite bonne femme.

—Mademoiselle Maxence! répéta Léon désappointé.

—Mademoiselle Maxence parle toujours de vous quand elle vous voit passer.

—Et que dit-elle, mademoiselle Maxence?

—Elle dit: «Voici le petit jeune homme et sa jument de louage.»

Léon devint blême jusqu'aux lèvres, puis tout son sang se précipita à son front.

Pensez! Maxence ne quittait jamais Césarine. C'était à Césarine que Maxence avait dit cela.

Or, rien ne blesse les amoureux comme la crainte du ridicule. Quel portrait! un petit jeune homme sur une jument de louage.

C'était son pain de chaque jour que Léon portait au manége. Léon jeûnait depuis bien longtemps pour se donner l'air d'un fils de famille. Et voilà le résultat! On le désignait ainsi: le petit jeune homme à la jument de louage!

Vous dire que Léon eût étranglé mademoiselle Maxence de Sainte-Croix en ce moment avec un souverain plaisir, serait chose superflue.

—Ah!... fit il d'une voix altérée,—elles savent que je suis pauvre?

—Elles savent..., répéta maman Carabosse;—qui ça, elles?

—Mademoiselle Maxence... et l'autre?

—Je n'ai parlé que de mademoiselle Maxence.

Les yeux de la petite bonne femme brillaient, et Léon crut y voir une expression de moquerie. Il poussa une pièce de vingt francs jusqu'au rebord de la table.

—Peste! fit la petite femme;—nous avons eu des rentrées!

—Combien vous dois-je? demanda Léon sèchement.

—Trois livres dix sous.

—Prenez.

—Je n'ai pas de monnaie.

—Prenez, vous dis-je.

—Et laissez-moi en repos, n'est-ce pas! ajouta la petite vieille, qui eut un sourire;—ce n'est pas vingt francs que vous me devez, c'est trois livres dix sous... et je ne reçois jamais de cadeaux.

Elle prit la chaise occupée naguère par M. Garnier de Clérambault.

—Je vous ennuie, reprit-elle en s'asseyant,—je vois bien cela... mais c'est que je voudrais savoir pourquoi il vous a donné tant d'argent.

Léon fronça le sourcil et se donna un air hautain. La petite bonne femme n'y parut point prendre garde. Elle mit auprès d'elle, afin d'être plus à l'aise, sa grande boîte et son panier.

—Ce n'est pas la mère qui a envoyé cela, continua-t-elle;—la mère n'envoie qu'au 1er du mois... et les pièces d'or doivent être rares chez elle... Ah! ah! quand on a cent louis de rente et qu'on fait dix-huit cents francs de pension à son fils, à Paris, reste six cents francs... Je ne sais pas trop si l'on vit grassement à Chartres avec cela.

Léon haussa les épaules.

—Je ne connais pas la fortune de ma mère, dit-il;—mais je sais qu'elle vit dans l'aisance.

La physionomie de la petite bonne femme changeait par degrés. On eût pu voir en quelque sorte la rêverie descendre sur son front.

—Elle a été riche! fit-elle en se parlant à elle-même;—il y a longtemps!

—Quel âge avez-vous, monsieur Léon? s'interrompit-elle.

Comme il ne répondait pas assez vite, elle reprit:

—Vingt-deux ou vingt-trois ans... tout au plus... Non, non, vous ne pouvez avoir aucun souvenir de cela!

—Qu'importe ici mon âge, et de quoi parlez-vous? demanda Léon avec impatience.

La petite vieille tressaillit, car elle était déjà retombée dans sa méditation.

—Mademoiselle Ernestine Rodelet..., murmura-t-elle;—une bien jolie jeune personne, en ce temps-là... et bonne... et pieuse... fille unique du banquier Rodelet, qui avait été dans les fournitures sous l'Empire et qui comptait par millions, oui... tout comme M. le comte Achille de Mersanz... Ils demeuraient au numéro 81... Vous aviez trois ans, monsieur Léon...

Elle s'arrêta. Le cinquième clerc avait de la sueur aux tempes.

—Vous connaissez l'histoire de ma famille?... balbutia-t-il.

—Oui, oui..., fit la petite vieille,—et bien d'autres histoires... Je sais l'histoire de trois maisons qui avaient chacune plus d'un étage... Le numéro 81 était la plus grande... son histoire est aussi la plus longue.

—Vous savez que ma mère...? commença Léon, qui gardait les yeux baissés.

—Oui, oui.... je sais cela... et que Dieu vous pardonne si vous ne la respectez pas, monsieur Léon... Ah! il vous a donné deux cents francs!... S'il vous avait donné cent mille pièces comme cela, vous ne seriez pas encore quittes!

—Écoutez! fit Léon au comble de l'agitation,—je ne sais pas si j'ai la tête perdue... mais je ne vous comprends pas... Au nom du ciel, expliquez-vous!

—Pas à présent, monsieur Rodelet, pas à présent. Ce serait long à raconter... et il faut que vous soyez à six heures à votre étude... Jésus Dieu! il en a eu dans les mains de l'argent, cet homme-là! Au no 81..., au no 34..., des familles ruinées sans ressource!... Et impossible de le prendre... il se met toujours à l'abri... Mais que lui reste-t-il de tout cela? Il ne garde rien. Il y a derrière lui quelqu'un de plus fort que lui... un gouffre sans fond où tout tombe et disparaît... un abîme... un diable... une femme!...—Quelque jour, s'interrompit-elle en reprenant sa boîte et son panier,—nous reparlerons de tout ceci, monsieur Léon... Si je me souviens d'Ernestine Rodelet, ah! certes, certes... au premier, sur le devant, douze domestiques, huit chevaux à l'écurie... jamais moins de cinq cents francs à la concierge au 1er de l'an... Et le no 81 était une bonne porte... on nouait les deux bouts en gardant mille écus d'économie... Au no 34, ce n'était déjà plus ça... et quant au no 7 bis... Ah! dame! il y a maisons et maisons, c'est tout simple.

Elle se leva et resta un instant à regarder Léon, qui avait la tête inclinée sur sa poitrine et semblait absorbé dans ses réflexions.

—Prenez garde à cet homme-là, dit-elle après un silence,—il en a tué de plus forts que vous.

Léon la regarda comme s'il n'eût point compris. Elle poursuivit en baissant la voix.

—Il y a là-bas une belle jeune fille qui pleure au souvenir de vous... Pauvre petit fou, pourquoi êtes-vous venu vous noyer dans ce Paris!...

Elle tourna sur ses talons et gagna la porte de son pas preste et furtif. Par derrière, à cause de sa taille exiguë et fine, vous l'eussiez presque prise pour une fillette. La déformation de son torse donnait à sa marche une allure singulière. C'est à peine si son pas sonnait sur le parquet, et certes jamais tournure plus fantastique n'avait valu à un être humain le surnom de fée.— Seulement, la fée Carabosse était laide, vieille et bossue. Notre petite bonne femme n'était que vieille et un peu jetée de côté. Quant à sa figure, qui souriait sous ses cheveux blancs frisés, plus d'une coquette de quarante ans l'eût enviée.

Et vous savez qu'il est à Paris et même ailleurs des coquettes de quarante ans qui prisent haut leur figure.

—Allons, allons, dit-elle en ouvrant la porte pour se retirer,—je dîne en ville ce soir et je ne serais pas étonnée si je parlais de vous... Méfiez-vous de cet homme et rendez-lui son argent... méfiez-vous de vous-même: vous n'épouserez jamais mademoiselle de Mersanz pour mille bonnes raisons, et ensuite parce que je ne le veux pas... Si vous avez trop grande envie de savoir ce que c'est que l'homme, allez le demander à votre mère...

La porte se referma sur elle.—Léon resta seul.

Le jour où Léon avait tiré à la conscription, sa mère l'avait pris à part dès le matin. Ils étaient restés plus d'une heure ensemble. A la fin de cette entrevue, Léon embrassa sa mère, qui fondait en larmes. Il était très-pâle.

Depuis lors, jamais aucune allusion au sujet traité dans cette entrevue n'avait eu lieu ni de la part de Léon, ni de la part de sa mère. La maison devint triste.

Léon eut un bon numéro au tirage: cela n'apporta point de joie. Le lendemain du tirage, madame Rodelet se mit au lit et fit une longue maladie.

Il y avait là un secret de famille: quelque chose de douloureux et de mystérieux, un de ces deuils qu'on n'ose point porter au dehors. Madame Rodelet avait attendu jusqu'au dernier moment pour mettre Léon dans la confidence. Il est des heures dans la vie où la loi se charge elle-même de soulever tous les voiles; en face de ces solennités, on ne peut pas reculer.

Léon sut qu'il ne portait point le nom de son père et qu'il était enfant naturel. Sa mère s'humilia devant lui.—Mais ce ne fut qu'un instant, car elle lui dit:

—Si je savais que cet aveu dût me faire perdre l'autorité sacrée que j'ai sur vous, j'aimerais mieux mourir.

Léon baisa les mains de sa mère en pleurant.

Il aimait sa mère.—Cependant l'orgueil qui était en lui saignait.

Il demanda si quelqu'un au monde savait ce secret. Madame Rodelet lui répondit: «Personne.»

Personne, excepté les auteurs du crime.

Ce fut à dater de cette époque que Léon prit dégoût de la maison. Il ne pouvait souffrir la société de ceux qu'il avait connus quand il était heureux. On se fait de ces illusions blessantes: Léon croyait que tous ses amis lisaient maintenant son malheur sur son visage. Il songea à venir à Paris, non point par amour pour Paris, mais par haine de sa ville de Chartres.

Sa mère lui dit alors pour la première fois:

—Nous ne sommes pas riches.

Elle ne s'expliqua pas davantage, et, quand elle dut céder aux instances de Léon, elle lui annonça que, dans aucun cas, sa pension ne pourrait monter au-dessus de dix-huit cents francs par an. Léon trouva cela superbe.

La petite bonne femme était, à ce qu'il paraît, très-bien renseignée sur la position de madame Rodelet, car elle avait chiffré son revenu avec une rigoureuse exactitude. Les dix-huit cents francs prélevés, la mère de Léon gardait six cents francs pour vivre.

De l'histoire de sa famille Léon ne savait que deux faits bruts et sans détails: la ruine de son aïeul et la chute de sa mère. Ces deux faits se liaient en ce sens que la même main avait frappé les deux coups. La veille de son départ pour Paris, Léon fit des questions. Madame Rodelet se retrancha derrière son état de souffrance pour ne point répondre.

Léon partit. Une lettre de recommandation de sa mère lui ouvrit l'étude de maître Souëf. Maître Souëf avait évidemment connu sa mère en des temps meilleurs pour elle. Cependant, maître Souëf ni personne ne laissa jamais échapper un mot qui pût donner prétexte à des questions.

Nous savons à quel genre de travail Léon s'était livré depuis son arrivée à Paris. Son notaire guettait depuis longtemps l'occasion de le renvoyer au pays chartrain.

Pour juger Léon Rodelet en une seule fois, il suffit de se mettre ici à sa place. Figurez-vous un jeune homme ayant pénétré à demi le secret de sa propre vie et placé tout à coup en face d'une personne qui se vante de posséder ce secret tout entier. Neuf sur dix prendront la personne au collet et ne lâcheront prise qu'après victoire.—Léon était le dixième.

Léon fut frappé d'une chose surtout. Sa mère lui avait dit: «Tout le monde ignore notre malheur,» et voilà que sa mère se trompait! Il fut atterré, il laissa partir la petite vieille. Quand elle fut sortie, il voulut courir après elle,—et il ne courut pas.

Parce qu'il y avait une circonstance qui mettait pour lui tout le reste dans l'ombre. La petite vieille lui avait dit: «Vous n'épouserez pas Césarine de Mersanz!»

Qu'en savait-elle?

Elle avait ajouté: «Je ne veux pas!»

Qu'y pouvait-elle?—Quoi de commun entre l'héritière de tant de millions et ce pauvre être, plastron des petits enfants du quartier, qui gagnait sa vie à vendre des plaisirs et des pommes d'api?

Léon songeait. Il allait d'une chose à l'autre.—La petite vieille lui en avait dit, par le fait, bien plus long que sa mère elle-même.—Rodelet, le père, avait eu des millions.—Cet homme qui avait mis les deux cents francs sur la table était mêlé au roman de famille,—et son rôle semblait avoir été funeste.

Mais il avait promis d'introduire Léon à la pension Géran, et la petite bonne femme avait dit au contraire: «Je ne veux pas!»

Entre ces deux-là, le choix de Léon ne pouvait être douteux.

Léon n'avait pas de pendule, mais il savait se guider d'après le soleil. Six heures approchaient. Léon secoua la tête brusquement comme un homme qui veut chasser d'autorité les pensées obsédantes. Il avait juste assez de force pour nouer aussi un bandeau sur les yeux de son âme.

—Je la verrai, pensa-t-il, tandis que son cœur battait à se briser dans sa poitrine;—je lui parlerai... Que lui dirai-je?...

Grave question.—Il prit le paquet de ses lettres et jeta au pistolet un regard de dédain. Il fit même sauter dans le creux de sa main les pièces d'or. Que de promenades à cheval pour ces deux cents francs!

—Voir la date d'un contrat, se dit-il, répondant à un vague reproche de sa conscience,—ne voilà-t-il pas un grand crime!

Un son lointain de cloche arriva jusqu'à lui. C'était la récréation du soir de la pension Géran. Il se précipita sur la terrasse. Les fillettes s'éparpillaient déjà dans les gazons et commençaient leurs jeux. D'ordinaire, à ce moment, Léon voyait les deux gracieuses jeunes filles, Césarine et Maxence, les bras entrelacés et souriant toutes deux, monter la rampe tournante du cavalier.

Mais ce soir elles ne vinrent point, et le banc qui était sous la tonnelle resta solitaire.

Léon n'avait plus rien qui pût le retenir. Il enferma dans son armoire d'attache ses papiers et son pistolet, puis il prit son chapeau et sortit.—En donnant un tour de clef à sa porte, il entendit à l'étage supérieur, la petite vieille qui chantait de sa voix flûtée, mais fraîche encore et douce, malgré sa portée aiguë.

Il s'arrêta, prêt à monter, mais il ne monta pas.

—Bah! fit-il,—je n'ai plus que le temps de me rendre à l'étude... Et, d'ailleurs, quand je saurais, à quoi cela m'avancerait-il?

La rue Neuve Plumet est à deux pas de la rue de Babylone. En quelques minutes, Léon fut à la porte de l'étude. Ses collègues étaient au grand complet; ils attendaient pour voir s'il viendrait.

Entre clercs de notaires ou d'avoués, on est quelquefois bons camarades, mais pas souvent; je ne sais pourquoi ces professions rabougrissent l'âme et le corps.

C'étaient quatre garçons assez laids, échelonnés de vingt-cinq à trente-cinq ans. Le maître clerc avait déjà presque l'air d'un notaire.—Il possédait la cravate blanche, l'air discret, le flair moisi: vingt-huit ans.—Beaucoup d'avenir.

Le second clerc, trente-cinq ans, physionomie bonnasse, ventre marqué, mouchoir de poche à carreaux.—Pas d'avenir.

Le troisième clerc, touche d'étudiant, figure à pipe, métaphores empruntées aux jeux de dominos, de billard, pantalon écossais, bottes malheureuses, superbe écriture.—Peu d'avenir.—Vingt-sept ans.

Le quatrième clerc, vingt-cinq ans, teint rose, pas de barbe, voix douce, lunettes d'écaille, grasseyement de velours, propre, aimant les sucreries, aidant maître Souëf (Isidore-Adalbert) à passer son paletot,—escarpins et bas blancs.—Joli avenir.

M. Charles Glayre, M. Martineau, M. Marcailloux et M. Bidois.

Ces quatre messieurs ne s'aimaient pas entre eux. Ils détestaient Léon parce qu'il était trop bien mis.—Avis aux clercs conscrits.

—Tiens! tiens! s'écria Charles Glayre,—voilà M. Rodelet.

—Toujours grande tenue! dit le joli petit M. Bidois.

—Nous étions en train de jouer à «il viendra! il ne viendra pas!» ajouta le chevelu Marcailloux.

Martineau, le vétéran qui n'espérait plus acheter d'étude, dit:

—Est-ce que vous comptez vous promener longtemps comme ça six jours par semaine et le dimanche, monsieur Rodelet?

—Six et un! fit Marcailloux; domino.

—C'est que, continua Martineau,—votre besogne me retombe sur le corps et ne me va que tout juste... Ah! mais!

—M. Rodelet monte si bien à cheval! grasseya doucement M. Bidois.

—Je m'embarrasse pas mal!... commença Martineau, qui était sanguin.

—Modérez-vous, messieurs! s'écria le premier clerc, comme si Léon eût soutenu la discussion.—Je dois dire à M. Rodelet que le patron est mécontent... très-mécontent...

—Oui, oui, ajouta Marcailloux,—le Rodelet susdit a bien fait de venir... sans cela, il était...

Il y a un mot aux dominos qui exprime l'idée de ruine complète et de mort.— Nous déplorons ici notre coupable insuffisance.

—Avant de partir, dit Léon au premier clerc, voulez-vous avoir l'obligeance de m'indiquer ma besogne.

Le premier clerc lissait son chapeau de soie avec son foulard.

—Faites, Martineau, dit-il en prenant sa canne; à demain, messieurs.

Sa canne était, ma foi, à pomme d'or.

Dès que le premier clerc fut dehors, l'honnête Martineau prit de l'aplomb, beaucoup. Il remit ses papiers dans son pupitre et ôta ses fausses manches de lustrine, à l'aide desquelles il égalisa le poil fauve de son chapeau.

—Vous avez entendu, monsieur Marcailloux, dit-il.

Et il s'en alla, le parapluie sous le bras, narguant le beau soleil.

Marcailloux tira de sa poche une vilaine blague, brodée en faux. Il roula une cigarette avec soin, affûta son chapeau gris à poils révoltés sur son genou, et sortit en sifflant l'air de Marlborough.

Alors, M. Bidois mit ses gants de filoselle.

—Hein!... dit-il,—avez-vous vu cela?... Trois bonnes têtes!... Voici ce dont il s'agit, monsieur Rodelet... épousseter les cartons sans rien déranger... Au plaisir de vous revoir.

Il arrangea ses cheveux frisottés devant un petit miroir qu'il avait dans sa poche, et s'en alla décemment, non sans adresser à Léon un bienveillant sourire.

C'était une belle et bonne avanie qu'on faisait à Léon. Il ne songea même pas à cela. Il était maître de l'étude. Tous ces cartons qui tapissaient la muraille depuis le lambris jusqu'au plafond, étaient à lui.—Il prit le plumeau et l'échelle comme s'il n'eût jamais fait autre chose de sa vie et monta droit au dossier de M. le comte de Mersanz.

La petite bonne femme chantait toujours dans sa chambrette du sixième au-dessus de l'entre-sol. Elle savait toutes sortes de chansons qui n'étaient pas nouvelles. En chantant, elle se démenait, car elle était pressée,—et souvent elle s'interrompait pour se dire:

—Deux cents francs! pourquoi lui a-t-il donné deux cents francs?

Cela l'intriguait, sans cependant qu'il y eût en elle aucune inquiétude.

—Il veut savoir sans doute le détail des biens de Mersanz, pensait-elle.—Ah! il en pourra compter des châteaux, des fermes, des futaies!... que sais-je, moi!... mais après..., en sera-t-il plus avancé?

C'est étonnant ce qu'on peut mettre d'objets dans la chambre la plus exiguë. Celle de la petite vieille était pleine comme un œuf, mais sans trop d'encombrement. Tout y était net et propret; vous n'y eussiez pas trouvé un grain de poussière.

Les meubles consistaient en une couchette de noyer bien ciré, un guéridon, trois chaises et deux coffres qui tenaient à eux seuls la moitié de la chambre. Les ornements ne manquaient pas. Il y avait tout autour des murailles une profusion de petites estampes coloriées, représentant toutes des militaires. Vous eussiez dit le réduit d'un invalide de la grande armée, d'autant mieux qu'on voyait au-dessus d'un petit poêle à cuisine, placé dans l'enfoncement de la fenêtre mansardée, un briquet de fantassin et une aiguille à déboucher la lumière des fusils, avec sa chaînette de cuivre. Un bonnet de police couronnait ce trophée.

Dans la ruelle du lit, composé d'un simple matelas, manquant d'embonpoint et très-aplati par l'usage, mais entouré de rideaux de coton blancs comme la neige, un bénitier était pendu avec sa branche de buis. Sous le bénitier, il y avait une image de la Vierge.—La petite vieille était bonne chrétienne.

De sa lucarne, on apercevait les trois quarts de Paris en panorama: une vue superbe, sauf les premiers plans, formés par des tuyaux de poêle. Ce à quoi elle tenait le plus dans cet immense tableau dont elle jouissait à raison de soixante francs l'an, c'était à la colonne Vendôme, où Napoléon posait pour elle du matin jusqu'au soir, dominant les beaux arbres des Tuileries.

Elle n'était pas souvent chez elle; mais, dès qu'elle remontait ses sept étages, elle donnait un coup d'œil amoureux à son Napoléon.

La demie de six heures venait de sonner à la caserne de Babylone.—Encore un avantage que nous allions oublier de noter. La petite bonne femme n'avait pas besoin de pendule: elle était entre deux horloges, celle de Babylone et celle des Invalides,—deux horloges militaires. Elle n'en usait que modérément, parce qu'elle aimait mieux régler sa vie par le son des tambours.

—Je suis en retard, dit-elle en soulevant le couvercle d'un de ses grands coffres;—pas habillée... et le temps qu'il faut pour aller à la barrière des Paillassons!... Ah! je ne vendrai rien ce soir... Cela coûte cher de dîner en ville!

Le coffre contenait de belles piles de plaisirs passés l'un dans l'autre et arrangés avec un soin minutieux. La petite bonne femme chargea sa boîte et prit dans un coin du coffre ce qu'il fallait de fraîches pommes d'api, bien couchées dans des rognures de papier blanc, pour emplir son panier. Elle faisait tout cela lestement et adroitement; les plaisirs n'étaient point foulés, les pommes ne s'offensaient point l'une l'autre, mais la boîte n'aurait pas pu contenir un plaisir de plus, ni le panier une seule pomme.

—La!... fit-elle;—demain, je verrai si mademoiselle Maxence a bien dormi... Je parie que celle-là ne m'achètera plus de devises!

Elle referma son coffre et s'accouda dessus.

—Cette Maxence a compris!... murmura-t-elle toute rêveuse;—comme elle a embelli depuis un an! J'ai vu le comte la dévorer des yeux, l'autre jour... Saperlotte! je ne veux pas que Béatrice pleure... Pauvre belle créature!

Une larme vint aux bords de sa paupière, mais un sourire malin la sécha.

—Quoique ce ne serait pas mal, reprit-elle,—de faire endêver un peu le père Roger... Il ne l'a pas volé... Mais je lui trouverai sa marche quelque jour à M. le capitaine...

Elle traversa la chambre pour gagner le côté de la fenêtre où était le second coffre. Ses idées allaient et venaient comme celles d'un enfant.

—Maxence! reprit-elle encore;—eh bien, ça me fait de la peine, quoi!... à cet âge-là, on aurait pu la tourner au bien... Quels yeux elle vous a!

Puis, en levant le couvercle du second coffre:

—Je ne peux pas avaler ces deux cents francs, moi!... Pour sûr, il y a un coup monté... Il employa ainsi un grand nigaud de jeune homme dans l'affaire du no 81.

Ce pronom il se rapportait sans doute à l'habit bleu qui avait donné les deux cents francs.

—Mais encore une fois, poursuivit-elle,—que peut-on faire dans l'étude de maître Souëf?... Les châteaux du comte de Mersanz ont leurs fondements en terre, ses fermes aussi, aussi ses moulins... On aura beau violer le secret des cartons, ça n'abattra pas ses futaies!

Le contenu du second coffre ne ressemblait nullement à celui du premier. Les fillettes de la pension Géran ne l'eussent assurément point fouillé avec le même plaisir; mais, pour la petite bonne femme, c'était tout le contraire: elle aurait donné dix coffres pleins de pommes d'api, vingt coffres pleins de plaisirs, pour les bragos bizarres et disparates qui s'offrirent à sa vue quand le couvercle fut soulevé.

Il y avait d'abord un de ces petits berceaux à la main dont l'habitude se perd, mais que portaient autrefois les Alsaciennes voyageuses, quand elles allaient par les campagnes au temps de la moisson, un de ces berceaux que nous avons vus dans des estampes de l'époque impériale, au bras des jeunes vivandières suivant l'armée;—il y avait ensuite un costume complet de vivandière, avec le jeu de timbales en étain et le baril, peint en rouge et en bleu;—il y avait une épaulette rouge, un sac de soldat, une boîte de carton contenant une croix d'honneur.

Il y avait un mouchoir de batiste, taché de larges gouttes de sang, noirci par les années. Ce mouchoir portait des initiales, timbrées de la couronne ducale.

Il y avait un biscaïen et un éclat d'obus,—un bout de tresse de dragon,—une cartouchière russe,—un hausse-col d'officier avec un trou de balle au milieu.

Et bien d'autres choses également curieuses. C'était un musée guerrier. La petite bonne femme avait peut-être vu nos grandes batailles.

Il fallait bien qu'il y eût un motif à cette étrange manie qu'elle avait de se mettre au pas de tous les régiments qui passaient.

Outre le musée, le coffre contenait les hardes de la petite vieille; mais sa garde-robe n'était pas envahissante. A part sa toilette de tous les jours, elle n'avait qu'un casaquin, une jupe et quelques chemises.

Nous ne pouvons cependant omettre, en parlant de toilette, un écrin contenant une boucle en brillants qui devait être fort étonnée de se trouver en pareille compagnie.

La petite bonne femme avait ouvert son coffre pour y prendre son casaquin des jours de fête, sa jupe habillée et une chemise blanche. Il n'y avait qu'à la voir pour deviner que sa toilette ne devait pas être longue.—Mais il y a des souvenirs qui absorbent et des objets qui réveillent invinciblement le souvenir.

Quand le coffre fut ouvert, la petite vieille, qui se prétendait pourtant bien pressée, n'atteignit ni sa chemise, ni sa jupe, ni son corsage. Elle resta tout bonnement en contemplation devant ses débris.

Le sang vint abondamment à ses joues pâles; sa courte taille se redressa toute fière et toute vaillante; ses narines se gonflèrent, son regard brilla. C'était là tout son passé, heureux ou malheureux, on le voyait bien; c'était là toute sa vie.

Chaque objet contenu dans le coffre présentait un symbole. Une longue histoire était là en abrégé. Elle commençait au baril rouge et bleu de la vivandière; le berceau la continuait, puis l'épaulette, puis la croix d'honneur, puis le mouchoir qui avait un écusson ducal et de grandes taches de sang, puis le hausse-col percé d'une balle, puis encore l'agrafe de diamants.

—Il y en a fichtrement qui seraient mortes! dit-elle en posant son poing sur sa hanche d'un air fanfaron;—mais je suis en vie et, jour de Dieu! les deux enfants auront du bonheur.

Elle frappa sur le baril, et, continuant:

—Ça a roulé!... il faisait plus chaud qu'à vendre des plaisirs... Quand il fallait porter ça d'un côté, le berceau de l'autre, on en avait assez... Ran, plan, plan, ran, plan, plan!... Et la grosse caisse... et le canon!... Est-il Dieu possible qu'il ait couché là dedans... c'est si petit, et il est si grand!

Nous pouvons affirmer que cet autre pronom il ne se rapportait plus à l'habit bleu.

—Et pourtant, reprit-elle attendrie,—il me semble qu'il est encore là!... Il était beau... je ne sais pas s'il a jamais pleuré... Du plus loin que je me souviens, je vois son cher sourire.

Elle toucha le berceau comme une relique sainte,—puis elle rapprocha le petit oreiller de ses lèvres.

—Oui, oui! s'écria-t-elle avec un mouvement d'exaltation,—les enfants seront heureux!

Elle tira de sa poche quelques francs, fruit de sa recette du jour, et les déposa dans un coin du coffre, où il y avait déjà un petit tas d'argent.

—En attendant, dit-elle,—j'ai suffi à tout par la grâce du bon Dieu... il n'a jamais manqué de rien... Il en sait aussi long que son général... Pourquoi ne l'aimerait-elle pas, puisqu'il est beau comme un ange, et spirituel aussi, personne ne peut dire non, et brave, et bon!...

Un roulement de tambour se fit entendre dans la cour de la caserne de Babylone. La petite bonne femme releva la tête.

—Charge en douze temps! s'écria-t-elle;—je la sauverai, la chère créature, quand le diable y serait! Et je le marierai, lui... eh! mais!... avec une des plus riches héritières de France et de Navarre... En avant, marche!

D'un tour de main, elle prit tout ce dont elle avait besoin dans le coffre et laissa retomber le couvercle avec bruit. Une minute après, elle était en jupon, chantait Fanfan la Tulipe à pleine voix. Au bout d'une autre minute, elle chantait la Marseillaise et achevait de s'habiller.

Elle se regarda dans un petit miroir accroché contre la fenêtre.

—Dire qu'on a été jeune et la plus jolie fille de l'armée française! dit-elle non sans une légère nuance de regret;—ah! bah! il y a si longtemps! je ne sais pas pourquoi je m'en souviens encore.

Elle jeta sur ses cheveux blancs bien peignés un bonnet de mousseline brodée et drapa sur ses épaules un petit châle aux couleurs trop éclatantes.—La Marseillaise était finie; elle avait entonné la Mère Michel.

Écoutez, nous pouvons bien lui passer un peu de turbulence et de coquetterie. C'était une crâne petite bonne femme!

Au moment de partir, elle cessa tout à coup de chanter. Sa physionomie devint sérieuse. Elle appuya sa main contre sa poitrine.

—Comme mon cœur bat! se dit-elle;—c'est que je vais le voir... Ce garçon là me rendra folle.—Le voir, répéta-t-elle en s'accoudant sur le coffre fermé,—le voir tout mon content!... toute une soirée... Pour ça, on ne peut pas se faire trop belle, pas vrai.

Elle souleva le couvercle et prit l'agrafe de diamants, qu'elle attacha en guise de broche sur son casaquin de grosse laine.

—C'est égal, c'est égal, fit-elle cédant à l'extrême mobilité de sa nature et revenant pour la troisième fois à sa première pensée,—ces deux cents francs-là me chiffonnent... C'est le prix d'un marché...

Elle ferma sa porte et descendit l'escalier. Quand elle passa devant la loge de la concierge, celle-ci lui demanda:

—Où donc allez-vous comme ça en grande tenue, maman Carabosse?

La petite bonne femme la regarda d'un air absorbé.—Elle n'avait fait que songer aux deux cents francs, depuis son septième étage jusqu'au rez-de-chaussée.

Au lieu de répondre à la concierge, elle se frappa le front tout à coup et s'écria:

—Le contrat de mariage!... je parie vingt sous qu'il s'agit du contrat de mariage.

Elle prit sa course comme si le feu eût été à la maison.

La portière referma son vasistas et dit aux courtisans qui emplissaient sa loge:

—La pauvre maman Carabosse a un toc! La tête n'y est plus. Avez-vous vu comme elle est fagotée?... Elle a fait crédit pour des pains au beurre au clerc du cintième... et les locataires se plaignent qu'elle cause toute seule dans son grenier.

Les courtisans de la portière, servum pecus, répétèrent en chœur:

—La tête déménage... La pauvre maman Carabosse a un toc!

VII

—La barrière des Paillassons.—

Nous sommes bien aise d'illustrer un peu la plus humble de toutes nos barrières. C'est assurément un des lieux les moins connus qui soient au monde. Elle figure sur les plans de Paris, mais elle n'a jamais été ouverte, et consiste en un seul pavillon d'architecture baroque, enclavé dans le mur d'enceinte et flanqué de deux jardinets humides qui ne réussissent point à l'égayer. Ce pavillon est situé à l'extrémité de l'avenue d'Harcourt, entre les barrières de Sèvres et de l'École: c'est le point de l'enceinte le plus voisin des Invalides. Sans doute, cette raison motiva la construction de la barrière projetée; mais, comme elle se fût ouverte sur des marais complétement déserts, on y renonça.

Presque en face du bâtiment qui porte le nom de barrière des Paillassons, de l'autre côté du boulevard extérieur, débouche la ruelle Saint-Fiacre, maintenant inhabitée. Elle va du boulevard à la rue de l'École.

Tous ceux qui ont fait à Paris leur cours de droit ou de médecine avant 1848, savent que le château de la Savate, tenu par Jean-François Vaterlot, dit Barbedor, était situé dans cette ruelle. Il y avait là un bosquet de marronniers dont l'écorce était lamentablement tatouée de chiffres amoureux, renfermés dans des cœurs. Les marronniers n'existent plus; ils ont emporté dans leur chute des milliers de contrats non authentiques.—Le spéculateur qui les a déracinés nous semble coupable au même titre que le destructeur de la bibliothèque d'Alexandrie.

Le château de la Savate était une grande vilaine masure bâtie en bois, mais qui avait je ne sais quel caractère farouche et mélodramatique.—Barbedor savait des histoires terribles qui s'étaient passées au château sous la Terreur et en d'autres temps.—Je crois que ce château avait été construit expressément lors de la régularisation des octrois pour favoriser une vaste entreprise de contrebande.

Barbedor prétendait qu'il était plus vieux que Paris,—et montrait la chambre où Julien l'Apostat s'était reposé—la veille du jour où ses caporaux lui offrirent le sceptre impérial.

Il y a maintenant un carré d'artichauts à la place de ce monument historique.

Le château était une guinguette, on y vendait du vin à six sous le litre;—mais ce Barbedor, maître homme s'il en fut, avait plusieurs genres de clientèles.— Quand on voulait, on avait au château de la Savate des glaces comme à Tortoni, des truffes comme chez Véfour.

Barbedor était membre de la Société des forts-et-adroits.

Ici, nous sommes forcé de soulever un petit coin du voile qui recouvre les mystères parisiens. Certains, parmi nos lecteurs, pourraient ne point connaître cette société aussi utile que recommandable.

Les forts-et-adroits sont des citoyens honorablement musclés, qui font argent de leur vigueur et travaillent en public de quelque manière que ce soit. Ils s'intitulent volontiers eux-mêmes artistes. Ils n'ont pas moins de droits à cette glorification que les vétérinaires et les gens qui remplissent au théâtre les rôles importants de vague, de canon, ou de chaise de poste dans la coulisse.—Les forts-et-adroits peuvent, du reste, pratiquer un état manuel ou autre comme tout le monde; mais, dès qu'il s'agit de travailler, ils mettent généralement de côté leur force et leur adresse: ce sont les paresseux par excellence.

Ils sont, d'ailleurs, trop fiers. Pour garder leur dignité d'homme intacte et immaculée, ils choisissent de préférence les professions où la main libre peut rester dans la poche. A Paris, ce sont eux presque toujours, ces artistes, qui continuent dans le ruisseau le rôle grotesquement travesti des chevaliers errants d'autrefois; ils protégent et se battent. Ceci n'a pas lieu gratis.—Pour un mot de plus que nous allions écrire, il nous a semblé tout à coup que cette page prenait couleur de boue.

Il y en a pourtant d'honnêtes, à ce qu'on dit.

Les forts-et-adroits s'appellent aussi bons-hommes, quand ils se bornent à pratiquer la lutte ou la gymnastique.

Naguère, avant la mort du lutteur Rabasson, «l'invincible paysan,» la salle Montesquieu nous donnait chaque année quelques échantillons de ces étranges combats. Nous offrons de gager qu'on ne suait pas plus horriblement dans les arènes antiques.—Mais c'était beau, il faut bien en convenir. Le cornac de ces robustes animaux faisait des discours macaroni, qui seuls eussent valu le prix d'entrée.

Ce fort-et-adroit était assurément le plus éloquent des bons-hommes.

Et le troupeau qu'il gardait!—Il l'appelait «sa troupe.»—Quels torses! quels cous! quels biceps! Il faut avoir vu ces jeux pour savoir combien l'homme peut se rapprocher du lion et du tigre. C'était beau.

Rabasson et Marseille, l'Achille et l'Hector de cette Iliade, Blas, l'Ajax indompté, Arpin, dont le pareil ne se trouve point dans Homère, et Rivoire, sage et brave comme l'époux de Pénélope.

Le cornac était Agamemnon, roi des rois, dont il rappelait énergiquement le profil.—Puis venaient les phalanges des Grecs et des Troyens, tous adroits, tous forts, tous bons-hommes, depuis Plantevin jusqu'à Ginos, depuis Henri de Paris (Robert le Fort, qui n'était pas maladroit et qui a fondé une si puissante dynastie, se disait aussi de Paris) jusqu'à Pierre le Savoyard, depuis Bacquet l'Artilleur jusqu'à Pile-de-Pont.

Maintenant, Paris est veuf de ces joies. L'autorité ne veut plus souffrir qu'un chrétien rende l'âme, étouffé par un autre chrétien, pour amuser un parterre en blouse et des fauteuils en habits noirs.

Où combattent-ils? Quel pays heureux se pâme à voir le temps de bras, le temps de hanche ou la ceinture?

A part les lutteurs de profession, la Société des forts-et-adroits compte d'innombrables adeptes. C'est une véritable franc-maçonnerie qui comprend les boxeurs anglais, natifs de basse Bretagne, les professeurs d'adresse française, les héros de la canne, du fleuret, du bâton, pointe, contre-pointe, et même danse de salon!—les avaleurs de sabres,—les gens qui portent sur leur dos une charrette chargée de vingt-quatre personnes de bonne volonté,—les pères de famille qui se couchent sur le dos pour lancer leurs enfants en l'air à grands coups de pied: jeux atlastiques, dit l'affiche du Cirque, jeux icariens, répond l'affiche de l'Hippodrome,—jeux de vilain, déciderai-je,—les Hercules du Nord, à massue et à peau de léopard,—les mouches humaines qui marchent au plafond,—les voltigeurs du trapèze, les désossés, les tableaux vivants, que sais-je!...

Il y a une chose faite pour étonner profondément les esprits simples comme le vôtre ou le mien: les forts-et-adroits se doivent mutuellement secours et assistance dans toute bagarre. Contre qui, bon Dieu? Contre les maladroits et les faibles?...

Le château de la Savate, domaine de Jean-François Vaterlot, dit Barbedor, avait emprunté son nom à un genre de force et d'adresse bien connu sous le règne de Louis-Philippe. On appelait alors savate ce qui se dit maintenant plus poliment chausson: c'est l'art de prodiguer au prochain des coups de pied dans la figure,—ou boxe française.

Ne plaisantons pas: ceci touche au sport. Tout vrai gentleman peut tendre la main à un boxeur.—A la salle Montesquieu dont nous parlions tout à l'heure, il y avait de respectables messieurs, protecteurs éclairés des arts, qui venaient, avec leurs décorations et leurs cheveux blancs, donner des tapes amicales sur les muscles grands dorsaux des athlètes.

Voilà pourquoi Vaterlot avait souvent l'occasion de servir à ses pratiques des fromages glacés et des truffes, dans ce château de la Savate où se consommaient tant de vin bleu, tant de veau froid et tant de pommes de terre frites.

Barbedor avait une salle; Barbedor donnait des assauts. Il était de bon ton de connaître Barbedor. Son public ordinaire se composait d'ouvriers et d'étudiants; mais le boulevard de Gand faisait parfois l'école buissonnière pour assister à ses fêtes, et il y avait des coins de la salle où l'on parlait le pur anglais des jockeys.

Vers la fin de 1847, on commença à donner des assauts réguliers au casino du boulevard Montmartre et ailleurs. La barrière des Paillassons, si aimable qu'elle soit, se trouve un peu éloignée du centre. Peu à peu, les virtuoses du château de la Savate désertèrent; sa clientèle cossue les avait devancés. Barbedor dut profiter de la révolution pour faire faillite. Le château, acheté par les maraîchers voisins, disparut un beau jour. A la place où il était, jamais la charrue du laboureur ne fera sonner les casques des héros, mais le soc y rencontrera longtemps des marmites cassées et des tessons de bouteilles.

En 1836, c'était l'ère de gloire pour le castel de Barbedor. La devanture, d'aspect pauvre et mélancolique, avait été badigeonnée à neuf; on avait mis une petite balustrade en treillage vert des deux côtés de l'allée étroite qui conduisait de la ruelle Saint-Fiacre à la porte principale. La porte elle-même avait eu deux couches de peinture jaunâtre, et l'enseigne représentant deux hommes demi-nus, dont l'un lançait un coup de pied à l'oreille de l'autre, étalait, en outre, huit belles majuscules fraîchement rechampies qui formaient le nom de Barbedor.

Il y avait eu encore d'autres embellissements dont le but semblait plus difficile à saisir. Barbedor avait fait construire un petit péristyle en bois et en plâtre sur la ruelle qui rejoignait tortueusement la rue de l'École à travers les terrains. Quelques tilleuls naïfs avaient été plantés là en quinconce. Point d'enseigne de ce côté. Pour quiconque ne connaissait pas l'autre façade de cet important édifice, sa maison se présentait honnêtement, comme un de ces innocents cottages qui émaillent le pourtour de Paris. C'était blanc, c'était bête, c'était bourgeois à faire plaisir.

Les gens qui cherchent une signification à toute chose prétendaient que Barbedor allait se marier et qu'il avait construit cet appendice mignon pour y loger son bonheur conjugal.

En attendant, Barbedor vivait seul. Il avait eu jadis avec lui un neveu du nom de Jean Lagard, qui était son élève; mais Jean Lagard l'avait quitté pour courir le monde.

—C'était un très-gros homme, mangeant et buvant abondamment. Il passait les trois quarts et demi de sa vie assis sous un tilleul malade qui était au-devant de sa porte. Une table ronde dont le pied se fichait dans le sol, supportait sa pipe, sa blague et son pot de bière. Du matin au soir, il vidait la cruche bien des fois; sa pipe n'avait jamais le temps de refroidir. Il restait là, les jambes croisées, les mains dans ses poches, et présentant la plus parfaite image de l'inertie ennuyée.

A voir, sous sa veste de marchand de vin, cette masse de chair obèse et déformée, vous eussiez certes pensé que les jours de force et d'adresse étaient passés pour Jean-François Vaterlot, dit Barbedor; son aspect excluait toute idée d'agilité.—Son aspect trompait. Bien qu'il approchât de la soixantaine, Barbedor retrouvait au besoin ses muscles sous sa graisse. Il boxait comme un ange et battait Lazarus à plate couture. Il était agile à la manière de l'ours: c'était burlesque à voir, mais terrible. Au bâton à deux mains, il rossait Leboucher de Rouen et tenait tête à Trincart le Boiteux, qui est le Roland des paladins de la trique. Les maîtres du sabre et de la canne avaient peur de lui. Il n'avait trouvé en sa vie que notre Garnier de Clérambault pour lui rendre des points au jeu du fleuret.

La moralité de Barbedor ne passait pas pour être aussi robuste que sa constitution physique; néanmoins, il n'avait jamais eu de démêlés sérieux avec la justice. La préfecture tolérait son établissement, et il méritait cette faveur par son extrême prudence: jamais aucune rixe n'avait lieu au château de la Savate. Dès que le diapason des voix s'élevait dans la salle basse qui servait de cabaret, Barbedor jetait tout le monde dehors et fermait boutique.

Il avait des cabinets; ce qui se passait dans les cabinets ne faisait point de bruit.

En somme, dans ce quartier perdu et très-dangereux après la brune tombée, le château de la Savate était plutôt une sécurité qu'un péril.

Barbedor, ancien soldat, menait sa maison militairement. Il avait un chef, deux marmitons et quatre garçons,—sauf les jours d'extra. Comme son casuel était très-capricieux, les fournisseurs de la rue de l'École lui avaient consenti des abonnements. Il avait tout ce qu'il voulait à la minute et ne payait que les objets consommés. Sa maison marchait, et l'on peut dire que, si son neveu Jean Lagard avait voulu revenir au bercail, Barbedor eût été un fort-et-adroit parfaitement heureux.

En franchissant la porte du château, on entrait dans le cabaret. Une cloison mobile séparait de la salle cette pièce, qui servait de parterre les jours d'assaut; la salle était une manière de grange, soutenue par des piliers de bois peints en jaune. Elle était tout entourée de trophées composés d'armes d'assaut, de duel et de guerre, depuis le briquet du fantassin jusqu'à la latte hautaine du cuirassier, en passant par les fleurets, épées, bâtons, bancals, etc. Les gants fourrés, les masques et les plastrons complétaient le coup d'œil. Entre les trophées, se voyaient bon nombre de ces estampes si pleines de caractère qui servent de diplôme aux forts-et-adroits. Ces estampes représentent invariablement une galerie circulaire avec panoplies, drapeaux et panaches. Les galeries sont pleines de sous-officiers, de bourgeois et de prodigieuses dames; sur chaque médaillon pendu aux piliers se lit une devise: «Honneur aux braves!.. Respect au beau sexe!..» Deux champions sont au centre, qui se prodiguent avec joie des coups de ceci ou de cela, suivant la nature du brevet, à moins que ce ne soit un brevet de maître à danser (danse de salon;) auquel cas un caporal et une demoiselle tiennent seuls l'arène: la demoiselle, rouge comme un piment, le caporal droit, fier, une main à la couture, l'autre arrondie avec une grâce orgueilleuse qu'il ne faut point essayer de décrire. Au-dessous de l'estampe est le diplôme, signé par les maîtres et prévôts.

Barbedor avait assez de diplômes personnels pour tapisser la salle. Il était maître en tous arts de force et d'adresse. Parfois, quand il avait bu assez de bière, il venait se promener avec sa pipe dans cette salle qui parlait si haut de ses exploits; ses grosses mains se croisaient paresseusement derrière son dos, et il se redressait tout seul au milieu de sa fierté.

Au premier étage du château étaient les cabinets pour bombances; au second, le logis des maîtres et des serviteurs; mais la topographie intérieure était loin d'être aussi simple que cet exposé pourrait le faire croire: c'était, aux deux étages, un véritable dédale de couloirs et de corridors où Jean-François Vaterlot, malgré sa force et son adresse, se perdait parfois lui-même quand il avait remplacé la bière par l'eau-de-vie.

Nous terminerons cette monographie du château de la Savate en disant que la clientèle de Jean-François Vaterlot n'avait droit qu'à l'entrée officielle donnant sur la ruelle Saint-Fiacre. L'autre, celle qui s'ouvrait sur le marais, était toujours fermée, ce qui ne contribuait pas peu à lui garder cette physionomie décente et un peu triste que nous avons indiquée.

Le soir du jour où commence notre histoire, vers six heures et demie, Barbedor était seul au-devant de sa porte, fumant paisiblement et buvant sa bière. Les fourneaux refroidissaient dans la cuisine; il n'y avait personne au cabaret, personne dans les cabinets. Le chef parlait déjà de renvoyer la viande au boucher, les légumes à la fruitière, et les deux aides somnolents rêvaient la volupté d'une longue nuit. Les garçons, plus éveillés, jouaient au bouchon sous les marronniers.

Barbedor réfléchissait.

—La routine! se disait-il avec amertume,—la routine... le chemin battu, quoi!... Ils vont à la barrière de l'École, ils vont à la barrière de Sèvres, c'est un pli pris... Ils savent bien qu'ils ne trouveront pas ailleurs si bon et si beau qu'ici, mais ils vont ailleurs... Pour les amener chez moi, il faut le tremblement: des assauts qui coûtent les yeux de la tête... Pourquoi? Parce que la chambre des députés s'occupe de cinquante millions de bêtises, au lieu de percer la barrière des Paillassons, voilà!

Barbedor ôta sa pipe de sa bouche et but sa choppe d'une seule lampée.

—J'ai fait des pétitions, reprit-il,—j'ai dépensé du temps et de l'argent... mais on se moque des gens qui ont des idées... la routine!... Celui qui a inventé la vapeur est mort sur la paille... moi, j'ai inventé la barrière des Paillassons, nom d'un cœur!... On attendra après ma mort pour dire: «C'était pourtant un garçon qui avait du toupet!»

—Vous n'attendez personne, patron? demanda le chef par la fenêtre de la cuisine.

—J'attends toujours du monde, répliqua Barbedor sans se retourner;—est-ce que ce n'est pas une honte, Casseur, ma fille, de voir comme ça le dôme par-dessus le mur d'enceinte, à deux pas, et de dire qu'il faut passer par une de ces deux coquines pour y aller!

Le chef se nommait M. Pontoux, dit Casseur. Tous les forts-et-adroits ont un surnom. C'était bien le moins que le chef du château de la Savate fût un fort-et-adroit.

Quant aux coquines dont parlait Jean-François Vaterlot, c'étaient les barrières de l'École et de Sèvres, ses voisines,—ses ennemies!

Dire ce qu'il y avait de haine dans le cœur de Barbedor contre les barrières de Sèvres et de l'École est impossible.

Il avait rêvé une fois qu'il était empereur, et le premier acte de sa puissance avait été non-seulement de faire ouvrir la barrière des Paillassons, mais encore de faire murer les deux coquines.

Pontoux, dit Casseur, répondit:

—Quant à ça, oui, patron... En plus que, si on perçait une porte, là-bas de chaque côté de la baraque, la rue Saint-Fiacre deviendrait une des plus conséquentes de Grenelle... Faut-il éteindre et renvoyer les côtelettes?

—Pas encore, fit le patron, qui appuya sa tête contre sa main.

Casseur rentra dans sa cuisine et dit aux marmitons.

—Je vas me faire payer mes quinze jours... La cassine branle.

—Si la police avait voulu me permettre les combats de coqs, pensait Barbedor;—ça amuse les gens de l'autre côté de l'eau... Je vous demande de quoi se mêle la police!... des coqs!... elle mange bien du poulet, la police!... J'ai pensé à faire venir des bas Bretons pour les faire se bûcher à coups de tête... la lutte à main plate dépérit... le chausson s'en va... la canne baisse...—C'est un fait, ça, tout de même, s'interrompit-il en hochant la tête,—je ne suis pas superstitieux, mais n'y a pas à dire: depuis que mon vaurien de neveu Jean Lagard m'a planté là, j'ai la malechance!

Il essaya de rebourrer sa pipe, qui lui brûla les doigts.

—C'est le Clérambault qui est la cause de ça, reprit-il,—et c'te femme... Voilà des années qu'ils me promettent ma fortune... Si mes oreilles s'échauffent une bonne fois...

Il emplit sa choppe et se mit à boire lentement.

—Ah! fit-il,—je ne verrai pas percer ma barrière!

Son front s'inclina sous cette pensée décourageante.

Puis je ne sais quelle lueur passa dans son esprit. Il revit, par le souvenir, ces jours radieux où le château de la Savate était le rendez-vous de la meilleure société. Les assauts faisaient salle comble; il y avait des Anglais qui venaient parier des tas de guinées. Jean Lagard, à la fleur de l'âge, boxait comme Adams; Jean Lagard luttait comme Turc ou Lebœuf, ces athlètes oubliés qui brillèrent d'un si vif éclat; Jean Lagard tirait comme Lozes,—et, pour se reposer, Jean Lagard jouait avec des poids de cinquante livres qui semblaient, entre ses mains, plus légers que des plumes.

Et gai, ce Jean Lagard! et toujours en train! Il aimait à rire, il aimait à boire comme la commère de la chanson. La joie de la maison s'en était allée avec lui.

Il y avait quatre ou cinq ans de cela. Un soir que Jean Lagard était accoudé sur la barre de sa fenêtre qui donnait sur le bosquet de marronniers, il entendit que Barbedor causait en bas avec quelqu'un. Il reconnut la voix de sa marraine. La marraine de Jean Lagard était notre bonne amie, la petite marchande de plaisirs.

—Mon cousin, disait-elle, car elle avait réellement des liens de parenté avec Barbedor,—mon cousin, je sais ce qui se passe chez vous aussi bien et mieux que vous ne le savez vous-même. Si je voulais, je vous dirais pourquoi vous avez mis les maçons là-bas sur vos derrières.

Barbedor tressaillit.

La petite bonne femme baissa la voix pour continuer:

—La marquise vient souvent; Garnier aussi... vous vous mettrez dans de mauvaises affaires.

Mais Barbedor s'était remis; il haussa les épaules et se prit à siffler un air en vogue au théâtre du Montparnasse.

—Vous ne connaissez pas ces gens-là, mon cousin, poursuivit la petite bonne femme.

Jean Lagard, bon garçon sans soucis, n'était pas de ceux qui écoutent aux portes, mais sa marraine avait toujours été sa meilleure amie, et, d'ailleurs, le sujet l'intéressait tout particulièrement. Il détestait d'instinct cette femme qu'on appelait la marquise et son acolyte éternel M. Garnier de Clérambault.

Quand ceux-ci venaient chez Barbedor, ils s'entouraient d'un grand mystère, ils arrivaient séparément. Ils avaient seuls le privilége d'entrer par la petite porte neuve qui s'ouvrait sur les cultures. Clérambault avait sa voiture qui l'attendait au bout de la rue Saint-Fiacre, sur le boulevard extérieur. Le coupé de la marquise stationnait rue de l'École.

Et Barbedor, depuis quelque temps, prenait des airs d'importance. Il négligeait la force et l'adresse. Les hercules se plaignaient de son froid accueil. Il parlait à mots couverts de fortune faite et du percement prochain de la barrière des Paillassons.

En ce temps-là, Jean Lagard était amoureux. Vous l'eussiez peut-être deviné en le voyant accoudé ainsi, le soir, sur l'appui de sa croisée, regardant tomber la brune, écoutant le vent chanter dans le feuillage des marronniers. Jean Lagard avait pour connaissance une jeune fille sans père ni mère, qui brodait en chambre dans la rue de Sèvres. Elle était honnête; Jean Lagard comptait l'épouser et avait déjà pris là-dessus l'avis de sa marraine. La petite bonne femme avait dit:

—Épouse, si elle t'aime.

Jean Lagard, nature fanfaronne et confiante, n'avait aucun doute à cet égard. Cependant, depuis une semaine, il voyait du changement dans le caractère de sa jolie brodeuse. On eût dit qu'un élément nouveau était venu dans la vie de Justine. Elle passait plus de temps à sa toilette et le métier chômait bien souvent.

C'était à cela que Jean Lagard réfléchissait quand il entendit et reconnut la voix de la petite bonne femme, causant avec Barbedor. Ils s'éloignèrent, marchant lentement tous deux sous les marronniers. Quand ils se rapprochèrent, c'était Barbedor qui parlait. Il disait:

—Ce sont des choses au-dessus de votre portée, ma cousine. La fin justifie les moyens, pas vrai? Que résulte-t-il de tout cela? De beaux et bons mariages. Est-il défendu de se ramasser de quoi en faisant le bien?

—Le bien!... répéta la petite bonne femme;—ce n'est pas faire le bien que d'être complice d'une tromperie... cela se découvrira un jour ou l'autre... Voilà déjà trois nièces que cette femme-là marie... les autres étaient ses nièces comme celles-ci, j'en suis sûre... Et avez-vous le cœur de chagriner ainsi le pauvre Jean Lagard qui l'aime comme un fou?

Jean tressaillit à sa fenêtre et devint tout oreilles.

—J'empêche mon neveu de se casser le cou, voilà! répondit Barbedor d'un ton bourru.

—Mon cousin, mon cousin! répliqua la petite bonne femme, dont la voix prit des inflexions sévères,—je vous ai dit de quoi ils sont capables tous les deux... vous savez l'histoire du no 81... vous savez l'histoire du no 34...

Barbedor fit un geste d'impatience.

—Si on écoutait tous vos cancans..., commença-t-il.

Jean Lagard vit la petite bonne femme s'arrêter et se redresser.

—En sommes-nous là? reprit-elle vivement.—On peut être honnête dans tous les métiers, mon cousin Jean-François... le vôtre n'a pas bonne odeur, mais je vois bien que vous en voulez choisir un pire... C'est bon: vous êtes d'âge à vous conduire... cherchez des nièces à madame de Sainte-Croix... prêtez votre logis à ses coquineries...

—Ah! s'écria Barbedor exaspéré,—je ne m'étonne plus si le cousin Roger, votre homme, vous a planté là dans le temps... Nom d'un cœur! j'irais au diable, moi, pour ne plus vous voir ni vous entendre!

La petite bonne femme resta muette un instant. Jean Lagard crut la voir porter la main à ses yeux comme pour essuyer une larme. Ce fut d'une voix ferme, néanmoins, qu'elle repartit:

—Que Dieu pardonne à mon mari comme je lui ai pardonné!... Quant à vous, Jean-François, j'ai cru vous devoir un bon avis; vous l'avez mal reçu, ça vous regarde... Je ne dirai rien à mon filleul, parce qu'il casserait quelque tête et peut-être la vôtre... Adieu!

La petite bonne femme s'en alla.

Jean Lagard était tellement stupéfait, qu'il ne songea même pas à courir après elle.—Que signifiait tout cela? Et comment Justine, sa promise, s'y trouvait-elle mêlée?

Casser des têtes! Jean Lagard n'était pas à cela près.—Mais pourquoi?

Son cerveau travaillait.—Il se demandait surtout, mais bien inutilement, ce que signifiaient ces paroles prononcées avec tant d'amertume:

—Cherchez des nièces pour madame de Sainte-Croix.

Des nièces!—et pour quel genre de coquineries Barbedor prêtait-il sa maison?

Celui-ci, après le départ de la petite bonne femme, continuait d'arpenter le bosquet comme un furieux.

—Carabosse! grommelait-il;—de quoi se mêle-t-elle, celle-là!... Un mariage est un mariage... Où est la loi qui défend de faire des mariages?... on ne peut donc plus gagner sa vie?... Et la barrière des Paillassons se percera donc toute seule!

Il alluma sa pipe et finit par se calmer peu à peu.

—Ta ta ta ta! fit-il enfin répondant aux derniers murmures de sa conscience,—c'est pour le bien de mon neveu Jean Lagard... il est trop jeune...

Une demi-heure après, Barbedor était enfermé dans sa chambre avec M. Garnier de Clérambault et une femme vêtue de noir, dont un voile cachait le visage.

Jean Lagard avait entendu s'ouvrir la porte de la façade neuve, qui donnait sur les cultures. Ce qu'il avait pu saisir de l'entretien de son oncle avec sa marraine le tenait en éveil. Il quitta son réduit tout doucement et s'engagea dans le couloir qui conduisait à la chambre de Barbedor.

Il vit de loin de la lumière sous la porte, et le son des voix parvint jusqu'à lui.

Il crut saisir le nom prononcé de Justine.

Quand Jean Lagard fut à portée d'entendre, c'était l'habit bleu qui parlait.

—De deux choses l'une, disait-il:—ou le nigaud épousera de bon gré, ce qui est probable, car la jeune fille est ravissante, et je dois rendre hommage ici au bon goût de l'ami Barbedor... ou il voudra reculer... S'il épouse, tout est bien: on reconnaît à Justine cinq cent mille francs en mariage...

Jean Lagard s'appuya, défaillant, contre le mur du corridor. Il s'agissait de Justine!

—Sur lesquels cinq cent mille francs, continuait l'habit bleu,—nous avons naturellement notre affaire. La petite a été très-facile à endoctriner...

—N'est-ce pas, interrompit Barbedor avec sentiment,—n'est-ce pas qu'elle n'aurait pas fait le bonheur de mon grand bêta de neveu?

—Votre neveu, répondit Garnier,—aurait vu trente-six millions de chandelles... Suivez-bien. La petite a compris tout de suite et admirablement les bases de notre opération... Elle a sauté comme un cabri tout autour de sa chambre, à la seule idée d'avoir un équipage... Ces fillettes qui se conduisent bien dans leurs mansardes, sont presque toutes ambitieuses comme des démons... Quand on lui a dit qu'elle serait baronne, j'ai cru qu'elle allait devenir folle!

Jean Lagard était maintenant tout auprès de la porte. La sueur coulait sous ses cheveux. Il mit son œil à la serrure.

Il vit les trois interlocuteurs rangés autour d'un guéridon où il y avait une bouteille d'eau-de-vie et un seul verre. Le verre était devant la femme voilée. Barbedor, il faut lui rendre cette justice, avait l'air fort ému et l'indécision se peignait énergiquement sur son visage, d'ordinaire si paisible. L'habit bleu avait ce nez au vent que nous lui avons toujours vu et toute la vaillante apparence d'un commis voyageur cossu qui s'est habitué à la victoire. La femme voilée restait absolument immobile. Elle n'avait pas encore prononcé une parole.

—Tout cela est bel et bon, dit Barbedor;—mais, si votre baron recule...

—Pas la moindre difficulté, répliqua Garnier;—pensez-vous, mon garçon, qu'on puisse traiter ainsi sans façon la nièce propre de madame la marquise de Sainte-Croix... la fille unique de feu M. le vicomte de Génestal, en son vivant chargé d'affaires de Lippe-Augustembourg près la cour de Bavière!...

Ceci était dit avec un si grand sérieux, que Jean Lagard en fut ébranlé. Il se demanda si Justine avait réellement retrouvé une famille, comme cela se voit en définitive de temps à autre.

Mais Barbedor se chargea de la désabuser.

—Les pièces pour établir cela..., commença-t-il.

—En règle! interrompit l'habit bleu.—Nous avons un gaillard qui fabrique l'état civil aux petits oignons!... De sorte que, comprenez bien, si notre baron fait la grimace, nous montons sur nos grands chevaux... La Justine est mineure... Votre maison, mon vieux, est l'asile de toutes les vertus, mais elle n'en a pas l'air... Faites donc croire aux gens de justice qu'on a attiré une jeune fille ici pour prendre le frais... Madame la marquise a des entrées superbes dans ces occasions-là... Elle paraît tout à coup; elle évoque la mémoire de M. de Génestal et même de son protecteur, l'auguste prince de Lippe; elle pose ce dilemme: épousez ou indemnisez... Pas moyen d'en sortir; d'autant que je suis là, jouant avec un certain atout le rôle d'un collatéral offensé... Notez bien que l'indemnité est peut-être préférable au mariage, puisque, dans ce cas-là, notre petite Justine peut resservir...

Cette explication avait le mérite d'être claire. Nous en profitons au moins autant que le pauvre Jean Lagard, puisqu'elle nous apprend comment M. Garnier de Clérambault usait de ses relations dans le grand monde pour marier les gens,—et de quelle nature étaient les unions cimentées par ses soins respectables.

Jean Lagard ne pouvait plus garder un doute sur le fait en lui-même. Il tâchait de croire que tout ceci était un cauchemar. Quand l'évidence victorieuse l'étreignait, il se rejetait du côté de Justine et se disait:

—Rien ne prouve que Justine soit complice.

Il ajoutait en lui-même:

—Je la verrai demain... je l'interrogerai... je saurai...

—Et..., reprenait en ce moment Barbedor,—quand tentez-vous l'aventure?

—Mon bon, répondit l'habit bleu,—madame la marquise est d'avis qu'il faut battre le fer pendant qu'il est chaud...

Le voile de la femme vêtue de noir s'agita, parce qu'elle faisait un signe de tête affirmatif.

—Qu'entendez-vous par là? demanda Barbedor, qui avait peur de voir l'exécution fixée à un jour trop proche.

Car il n'était pas encore aguerri.

—J'entends, repartit l'habit bleu,—que nous avons donné rendez-vous ici, ce soir, à Justine et à M. le baron de Hanau.

—Ce soir! répéta Barbedor, qui sauta sur son siége.

Jean Lagard fut obligé de s'appuyer à la muraille du corridor pour ne point tomber à la renverse.

—A propos, mon bon, dit l'habit bleu en prenant Barbedor par le bouton de sa houppelande,—j'ai vu le ministre pour notre histoire.

—Ah!... fit le gros homme, qui resta la bouche ouverte,—vous voyez le ministre, vous!

Il ne demanda point de quelle histoire il s'agissait. Il n'y avait qu'une affaire: l'ouverture de la barrière des Paillassons pour faire pièce aux deux coquines de Sèvres et de l'École.

—Nous aurons cela, nous aurons cela, reprit l'habit bleu,—ne vous inquiétez pas... Je ne prétends pas que ça se fera tout seul, non... mais, avec le crédit de madame la marquise, nous enlèverons la chose... Figurez-vous que Son Excellence ne connaissait même pas la barrière des Paillassons...

—Par exemple! se récria Barbedor humilié,—elle est sur tous les plans de Paris!...

—Son Excellence..., reprit Garnier.

Il s'interrompit tout à coup pour prêter l'oreille.

—Chut fit-il;—j'entends une voiture dans la ruelle... ce pourrait bien être notre Allemand.

Jean Lagard se disait:

—Si Justine pouvait ne pas venir!

L'habit bleu se pencha vers la femme voilée et lui dit à l'oreille:

—Vous savez qu'il est protestant... on ne peut lui chanter la romance ordinaire.

—Vous retournerez cela, repartit la femme voilée;—vous direz qu'elle est protestante et qu'on veut lui faire épouser un catholique.

La voiture s'était arrêtée devant la porte neuve du château de la Savate.

L'agitation de Barbedor augmentait à vue d'œil.

—Nom d'un cœur! gronda-t-il,—vous agissez trop sans façon, vous deux!... moi, j'aurais voulu le temps de la réflexion... Que diable! du moins, j'aurais envoyé ce pauvre Jean Lagard faire un tour à Senlis, où nous avons de la famille.

Jean Lagard dort comme un bienheureux, dit Garnier.

Barbedor demanda:

—Vous a-t-on vu monter?

—Jamais!... nous sommes entrés tous deux par la porte de derrière... nous apportions un objet qui ne devrait pas être vu.

—Quel objet?

La femme voilée se versa un verre d'eau-de-vie et dit:

—Ne faites pas attendre M. le baron de Hanau, s'il vous plaît.

Elle passa le verre sous son voile et le replaça, vide, sur la table.

—Ce qu'il y a de sûr, pensait Jean Lagard,—c'est que Justine ne vient pas!

L'espoir renaissait en lui.

—Allons, mon bon, dit doucement l'habit bleu, qui frappa sur l'épaule de Barbedor,—vous avez entendu madame la marquise. Descendez au-devant de M. le baron.

—Mais..., objecta Barbedor,—la petite jeune personne...

L'attention de Jean Lagard redoubla.

—Ne prenez point souci de cela, répliqua l'habit bleu.

—C'est mes affaires, dit l'aubergiste;—je veux savoir.

—Elle viendra, je vous le promets.

—De bon gré?

—Parbleu!

—Serai-je là?

—Non pas!

Barbedor, qui avait fait déjà un mouvement vers la porte, s'arrêta court.

—Alors, dit-il,—je vais envoyer paître votre baron allemand... J'ai idée que la fillette viendra ici de force.

La femme voilée frappa du pied. Garnier la calma du regard.—Le neveu Jean remercia son oncle dans son cœur.

—Et si vous étiez bien sûr du consentement de Justine? demanda l'habit bleu.

—Dame!... fit Barbedor.

—Vous n'auriez plus d'objection?

—Faudrait que la fillette me dît elle-même: «Me voilà; je suis venue parce que ça me convient...»

L'habit bleu sourit et interrogea de l'œil la femme voilée, qui secoua la tête affirmativement. Jean Lagard guettait toujours par le trou de la serrure. Il vit l'habit bleu se diriger vers le fond de la chambre, où se trouvait l'entrée d'une seconde pièce donnant sur l'escalier de service et faisant partie de la bâtisse nouvelle. C'était par là qu'on gagnait la sortie de derrière.

L'habit bleu ouvrit la porte de cette seconde pièce et dit:

—Approchez, mon enfant.

Justine parut aussitôt en fraîche et charmante toilette. Elle ne semblait nullement déconcertée. Comme Barbedor la regardait tout ébahi, elle dit:

—Il faut bien tâcher de se faire un sort, n'est-ce pas?

Tout le sang de Jean Lagard lui monta au cerveau. Il se prit la tête à deux mains; puis, d'un coup de pied vigoureux, il jeta bas la porte. Tous les regards stupéfaits se tournèrent vers lui. Il se mit à rire.

—Bonsoir, mon oncle, dit-il;—salut, la compagnie... Je viens vous faire mes adieux pendant que le baron allemand n'est pas encore là.

VIII

—Le veau gras.—

On a vu de ces déceptions amoureuses transformer en parfait coquin le plus honnête jeune homme de la terre. Par contre, les romans et les drames prétendent, ce qui est bien consolant, que l'amour heureux peut faire un honnête homme et même un héros du plus parfait coquin qui soit au monde. Cela rentre dans le système des compensations.

Lagard n'était pas né dans un milieu absolument pur. Les forts-et-droits sont parfois de bons drilles, mais ils n'ont pas la prétention de quintessencier la vertu. Jean Lagard, fils d'un homme qui faisait l'exercice avec une pièce de huit et soutenait cent livres à bout de bras pendant trente-cinq secondes, avait plutôt appris le saut périlleux que le catéchisme. Tout occupé qu'on était de lui enseigner la violente gymnastique des saltimbanques, personne n'avait pris le temps de lui donner des leçons de morale.

Et cependant, il avait son genre de probité; il avait même une manière d'honneur et plus de fierté que bien des gens, incapables de faire la grenouille au haut d'une perche.—La conduite de Justine lui avait brisé le cœur tout net. Il était guéri de cet amour radicalement et sans retour. C'était une fibre rompue au dedans de son âme.

—Eh bien, reprit-il en donnant à son rire une expression presque enjouée,—quand vous me regarderez comme un événement!... J'ai tout vu, tout entendu, voilà...

—Mon neveu..., voulut interrompre Barbedor au comble de la confusion.

—La paix, papa! fit Jean Lagard,—je ne vous en veux point, au contraire... Sans vous, j'aurais épousé cette fille-là, et, comme je ne peux pas me noyer sans avoir la corde au cou, étant maître nageur, j'aurais mis un pavé de plus sous le pont.

Il tendit sa main à Barbedor, qui lui donna la sienne en baissant les yeux.

—Sans rancune, ajouta-t-il.

Puis il fit un pas vers l'habit bleu. Sa main restait tendue.—Garnier voulut imiter Barbedor et serrer cette main; Jean Lagard lui sangla un coup sec sur les doigts en disant:

—Vous, ce n'est pas cela!

Garnier rougit et se recula. C'était un ancien bretteur.

—Est-ce que nous voulons travailler? dit-il en retroussant ses manches avec un style qui prouvait que les relations dans la bonne société n'absorbaient pas tous ses instants.

Justine était toute pâle. Elle tremblait.

La femme voilée but tranquillement un second verre d'eau-de-vie.—Puis elle fourra sa main sous le revers de sa robe de soie noire. Elle en retira un pistolet qu'elle arma.

—Nom d'un cœur! s'écria Barbedor,—est-ce que vous pensez faire peur à mon neveu avec des joujoux comme ça?

La femme voilée haussa les épaules.

—C'est de l'argent qu'il veut, dit-elle froidement,—il a raison, ce garçon-là!

—De l'argent!... se récria Barbedor.

—La paix, papa! interrompit encore Lagard;—j'ai des bras pour vivre... c'est ça que vous vouliez dire, pas vrai?... Vous vous trompez: les bras tombent quand le cœur s'en va.

Il avait des larmes dans la voix.—Justine se prit à sangloter.

Jean l'entendit. Il éclata de rire.

—C'est l'affaire du moment, reprit-il,—une dent qu'on arrache, quoi!... Après, on n'y pense plus... Seulement, j'ai fantaisie de faire bombance pendant un mois ou deux ou davantage pour me remettre... et celle-ci a dit vrai: je veux de l'argent.

Barbedor releva les yeux sur lui. Son regard avait une expression à peindre. Il avait mieux auguré de son neveu: c'était un désappointement,—mais c'était aussi une joyeuse surprise, parce que son neveu se rapprochait ainsi de son niveau.

Le neveu comprit tout cela.

—Vous n'y êtes pas, papa, dit-il avec un dédain où renaissait sa rancune.—Vous et moi, ça fait deux.

—Voilà pour vivre! reprit-il en montrant ses bras robustes et admirablement modelés;—le reste, c'est pour mourir...

—Ah! fit Barbedor en pâlissant,—tu veux te tuer à force de boire.

—On verra, dit Lagard.

—L'homme, ajouta-t-il en se tournant vers Garnier,—un à-compte sur mes appointements.

Garnier ouvrit son portefeuille.

—Rien qu'un billet de mille pour aujourd'hui, dit Jean Lagard.—Vous me garderez le reste.

Garnier lui donna ce qu'il demandait. Jean Lagard ne remercia point, tourna le dos, et sortit.

C'était ainsi que Jean Lagard et son oncle s'étaient séparés. Barbedor ne l'avait jamais revu depuis ce temps. Il savait seulement que son neveu menait une vie bizarre et désordonnée, tantôt à Paris, tantôt ailleurs, travaillant quelquefois à n'importe quelle besogne, mais ivre le plus souvent et traînant sa gaieté fiévreuse de cabaret en cabaret.

La petite bonne femme avait aussi complétement abandonné Barbedor.

Nous serions fâché que le lecteur eût envie de connaître la fin de l'histoire de Justine et du baron de Hanau. Nos renseignements sont fort incomplets. Nous ne savons si le baron épousa, ou s'il solda l'indemnité; mais, quant à être dupe, nous pouvons certifier sur l'honneur qu'il le fut.

Barbedor, livré à lui-même, se mit de plus en plus entre les mains du couple intrigant qui lui promettait monts et merveilles. On était toujours sur le point de faire quelque gigantesque affaire au delà de laquelle était l'opulence. Barbedor prêtait sa complicité passive; Barbedor attendait; rien ne venait.

Il ne faut pas croire pourtant que ce fort-et-adroit se fût laissé abuser sans raisons spécieuses. Il avait mis en usage toutes les précautions usitées dans le commerce. Avant de faire construire cette fameuse façade qui donnait à ses derrières une apparence si honnêtement bourgeoise, il avait recueilli des renseignements par d'autres et par lui-même, sur M. Garnier de Clérambault et madame la marquise de Sainte-Croix. De ces renseignements, il résultait que c'était pour lui beaucoup d'honneur d'avoir la confiance de pareils personnages.

Clérambault avait une maison, une vraie maison, rue du Bac, avec des commis et des bureaux à grillages. Son établissement faisait plaisir à voir. Ses employés, portant l'habit noir et la cravate blanche, avaient toujours l'air de revenir de la noce ou d'y aller. Ils parlaient bas, ils avaient des sourires discrets.

Du reste, c'était comme aux bains Vigier. Il y avait le côté des dames et le côté des hommes, plus un lieu neutre: le parloir où les deux sexes se rencontraient.

Mais une jolie chose, c'est le registre.

Si vous voulez voir quelque jour jusqu'où peut monter la poésie des fils de Mercure, ouvrez le registre ou les registres d'une de ces boutiques où se vend l'hyménée.

Et précautionnez-vous d'un garde-vue vert pour n'être point ébloui!

Ce sont des noms radieux et des fortunes incandescentes! Il y a là des occasions qui flamboient.

Princes russes et filles naturelles de souverains, veuves de nababs, mulâtresses possédant tous les diamants du Penjaub!—colonels en disponibilité, inventeurs qui vont retourner, comme une crêpe dans la poêle, la face étonnée du monde,—pairesses du Royaume-Uni, grands d'Espagne de toutes les classes, drogmans de l'ambassade turque, rentières des États du pape, baronnes de la rue neuve Saint-Georges,—Américains (révérence parler), présidents de plusieurs républiques mal connues, reines d'îles désertes, mandarins, caciques et brahmes, dont l'un est nu-propriétaire de la pagode de Jaggernaut.

J'en passe et des plus absurdes. Je mets au défi les craqueurs de génie qui écrivaient jadis pour Odry, d'inventer de pareilles impertinences. Tout est là, tout!

Les livres de M. Garnier de Clérambault étaient bourrés de fariboles semblables,—à cause des relations qu'il avait dans le grand monde.

Le registre qui contenait les noms d'hommes, devant être feuilleté par de jolies mains, était relié en velours; celui qui renfermait la liste féminine étant destiné à passer par des doigts graves et forts, avait une reliure de veau.

Sur la cheminée du parloir se prélassait une pendule représentant le jeune Hymen, fils de Vénus et de Bacchus. L'Amour, son frère utérin, lui présentait le flambeau symbolique. Sur le socle était gravé l'allaitement de Jupiter enfant par la chèvre Amalthée. Tout autour des lambris, on voyait des estampes faites pour inspirer le goût du ménage: Philémon et Baucis, Éponine et Sabinus, Pétus et Arria, Priam et la respectable Hécube, mère de cinquante fils et de cinquante filles,—tous vivants.

Je ne sais pas si jamais M. Garnier de Clérambault avait fait un mariage, mais il avait beaucoup de clients. L'industrie de ces courtiers de félicité est fondée sur toutes sortes de choses, excepté sur la réussite de leurs efforts.

Il paraît cependant qu'on a vu des unions cimentées par les soins de ces travailleurs. La Gazette des Tribunaux met au jour parfois les désastreuses suites de ces unions; donc, elles existent.

Mais qui peut se marier ainsi?—Uniquement les personnes qui ne sont pas mariables.

Barbedor n'allait pas si loin que cela. Il avait vu les bureaux et les registres; cela lui avait donné la plus haute idée de son ami et protecteur M. Garnier de Clérambault.—D'autant mieux que celui-ci, au sein même de son sanctuaire et derrière son propre grillage, lui avait renouvelé la promesse de faire percer la barrière des Paillassons.

Quant à madame la marquise de Sainte-Croix, ce n'était pas une maison qu'elle avait, c'était un hôtel, ou, pour mieux dire, un palais. Elle demeurait rue de Varennes et passait pour dépenser un revenu de plus de cent mille francs.

Ce revenu, il faut que le lecteur en soit bien persuadé, ne lui était pas fourni par les mariages faits. Mais, nous ne saurions trop le répéter, le mariage fait est une exception. La spéculation n'est pas là,—à moins toutefois qu'on ne parvienne à conjoindre sérieusement Justine avec le baron de Hanau, ce qui est une grosse affaire.

La Gazette des Tribunaux, dont nous parlons trop souvent, explique de temps en temps à ses lecteurs ce que signifie le mot d'argot chantage. C'est ignoble, mais que voulez-vous! quand le baron de Hanau ne veut pas épouser Justine, il faut bien que M. Garnier de Clérambault et madame la marquise de Sainte-Croix fassent leurs frais.

Barbedor dut être satisfait des renseignements pris. Ce n'était pas un coquin tout à fait, ce fort-et-adroit, c'était un bohémien bourgeois. Avant de vous récrier, regardez autour de vous et comptez sur vos doigts ceux qui repousseront fièrement et du premier coup l'idée d'une entreprise douteuse où il y a beaucoup à gagner.

Pour Barbedor, maître du château de la Savate et respirant cette atmosphère que vous savez, l'industrie de M. Garnier de Clérambault était acceptable au même titre que tant de gentillesses commerciales bel et bien acceptées. Guillotine-t-on le brave épicier qui met du plâtre dans son sel, l'honnête marchand de vin qui fait chaque soir sa petite cuvée, l'honnête laitier qui change en crème l'amidon et la cervelle de brebis?—Allons plus loin: jette-t-on de bien grosses pierres à l'honnête boulanger, à l'honnête boucher qui vendent à faux poids?—Avez-vous quelquefois vu dans la rue les gens du quartier montrer au doigt ce même épicier, ce même boulanger, ce même boucher, qui, non contents de leur propre damnation, prêchent le vol aux filles de campagne récemment placées et leur apprennent comment l'anse du panier se peut mettre en danse?

Pas de grimace, nous sommes là-dedans jusqu'au cou. Si vous montez au-dessus du petit commerce, vivant de rapine sale, sordide, vous trouverez le grand commerce qui méprise le détail, aimant mieux pécher gros que de s'attarder aux misérables peccadilles. Saluez la banque et ses comptes de retour!

Quant à la bourse... mais c'est là un lieu commun si plat, qu'il est à la portée des vaudevillistes eux-mêmes! On a presque envie de défendre la bourse quand on entend les nigaudes tirades de ces bâtards infirmes de Beaumarchais.

Soyons justes un peu. Nos boutiques et nos bureaux sentent la hart. Que voulez-vous que soient nos bouges?

Non, Barbedor n'était pas un coquin. Il tâchait de se faire un sort pour ses vieux jours comme votre voisin de droite et votre voisin de gauche, comme votre voisin d'en face, comme l'huissier qui loge au-dessus de vous, comme l'escompteur qui loge au-dessous,—comme ceux qui vous vendent à manger et à boire,—comme ceux qui vous servent,—en un mot comme tous ceux qui mettent la main légalement ou non dans votre gousset.

Et, de plus, Barbedor avait une idée colossale: il voulait faire percer la barrière des Paillassons.

Non, Barbedor n'était pas un coquin,—mais ce qui est bien plus grave, c'était une dupe.

Comment dire le mépris que doit inspirer un homme qui n'a point les vains préjugés des honnêtes et qui végète, et qui se coule! Au moins, ces braves industriels ci-dessus mentionnés font tout doucement leur petite fortune. Qu'ils soient absous!

Barbedor, alléché par les splendeurs de l'hôtel de Sainte-Croix et de la maison Garnier de Clérambault, avait fait plus que prêter son humble établissement aux intrigues matrimoniales: il avait sollicité l'honneur d'une association, et ses pauvres économies étaient allées le diable sait où.

On lui avait promis de si belles choses!

Du reste, Clérambault et la marquise faisaient ce qu'ils pouvaient. Ce métier de marieur ressemble à la pêche à la ligne: il faut que le poisson morde. C'est à peine si Barbedor osait se plaindre.

Aussi la mélancolie le prenait, et, comme nous l'avons vu, les gens de sa maison lui trouvaient déjà l'air d'un homme qui se noie.—C'était à ses heures de tristesse surtout que le souvenir de Jean Lagard lui revenait.

Ce soir, en achevant sa dernière pipe et en versant dans son verre le reste de sa cruche, il se disait:

—Voilà le moment! Jamais il n'arrivait juste pour dîner... Quoi! c'était jeune, ça flânait... Moi, j'attendais... et je reconnaissais bien son pas derrière le coude de la ruelle...

Il s'interrompit pour écouter.

—Tiens, tiens! fit-il avec une singulière émotion;—quand on pense à ça, on devient tout chose... c'est comme si j'entendais marcher... marcher comme lui... mais il y avait sa voix... et l'air de Malbrouk...

Une voix ronde et joyeuse entonna derrière le coude de la ruelle:

Malbrouk s'en va t'en guerre
Mironton, ton, ton, mirontaine.
Barbedor pâlit et passa la main sur son front.

—Est-ce que la tête s'en va?... murmura-t-il.

La voix cessa de chanter et fit ce signal qui est parfois de mauvais augure dans les nuits parisiennes:

—Prrrrr—rrrt!

Pour le coup, Barbedor se leva tout chancelant et se tâta pour voir s'il rêvait.— Puis il mit sa main devant sa bouche et répondit:

—Prrrrr!... oh hé!

Il y eut au détour de la ruelle un gros éclat de rire. La voix dit:

—Vous n'êtes pas mort, papa?

—Jean! mon neveu Jean! s'écria le bonhomme, qui pleurait, ma foi, à chaudes larmes.

Lagard tournait en ce moment le coude. Il avait un costume d'ouvrier faraud, le chapeau sur l'oreille, les mains propres et une canne avec laquelle il faisait le moulinet. Barbedor aurait bien voulu courir à sa rencontre, mais l'admiration le clouait sur place.

—Bonjour papa! cria Jean;—comment que ça va?... Topons un petit peu pour la rencontre, voulez-vous?

Il posa sa canne contre le mur avec son chapeau au bout. Il mit habit bas et retroussa ses manches.—Barbedor fit de même et frotta gaiement ses mains dans la poussière de la ruelle.

—Ça va, garçon! dit-il;—tu m'en dois une... vas-y!

—Gaiement! répliqua Jean, qui tomba en garde selon la science.

—A toi!

—A vous!

—Pas de façon...

—Sans compliment.

—Je te dis: A toi!

—Alors, méfiance, mon oncle!

Jean tourna sur lui-même après avoir menacé la poitrine et lança un maître coup de pied à l'oreille de son oncle, qui para en se baissant. Jean avait déjà son autre pied en l'air pour caresser la figure.—Barbedor voulut relever: Jean détacha deux coups de poing.—Le bonhomme jeta son torse en arrière, puis riposta sur place par le coup qui défonce le ventre.

Jean sauta: Jean changea de main, balaya le tibia, puis, bondissant par trois fois, surprit la dernière parade et mit enfin le bout de son pied sous l'œil respectable de son oncle,—avec délicatesse.

—Touché! cria celui-ci, qui ouvrit ses deux bras.

Jean s'y précipita; mais, au lieu de donner l'accolade à son oncle, il le souleva de terre, malgré son terrible poids, et le coucha tout doucement dans la poussière.—Ce sont jeux agréables entre forts-et-adroits.

—Vous y êtes, sur les deux épaules, papa, dit-il;—savez-vous que vous avez gagné une douzaine de kilos, depuis le temps?

—Quatorze, rectifia Barbedor;—quand tu es parti, je pesais deux cent dix livres; la semaine passée, à Saint-Cloud, j'ai emporté le 233... Embrasse-moi, ma vieille, embrasse-moi!

Lagard ne demandait pas mieux. Ils restèrent une bonne minute dans les bras l'un de l'autre.

—Époussette un peu ma houppelande par derrière, dit le bonhomme;—n'y en a pas beaucoup qui me soupèseraient comme tu viens de le faire... Ah! Jean, mon neveu, que je suis content de te voir!... Tu vas rester avec moi, pas vrai?

—Quant à ça, impossible, répondit Jean Lagard;—le quartier ne me plaît pas... Je suis venu seulement vous faire une visite d'amitié... Dites donc, papa, j'ai été obligé de prendre par la coquine de Sèvres: il paraît que la barrière des Paillassons n'est pas encore percée.

Barbedor poussa un gros soupir.

—La routine! grommela-t-il;—le ministre n'a pas encore osé, crainte de mécontenter le patron du Grand-Vainqueur, à Montparnasse...; mais ça viendra, mon petit; Paris n'a pas été bâti en un jour... As-tu dîné?

—Non, je viens pour ça.

—Casseur! appela Barbedor.

—Ou plutôt, reprit Jean Lagard,—nous venons pour ça.

—Qui donc que tu amènes? Les anciens: Mât-de-cocagne, Bras-d'acier, Corps-d'ivoire?...

—Vous n'y êtes pas, mon oncle; ce n'est pas un ancien, c'est une ancienne.

—Bah! fit le bonhomme, qui baissa les yeux;—Justine?... Est-ce que vous êtes rapatriés?

Il dut regretter d'avoir prononcé ce nom-là. L'expression que prit la figure de Jean lui fit peur.

—Qu'est-ce qu'il y a? demanda Casseur par la fenêtre de la cuisine.

—Y a qu'il faut tuer le veau gras, répondit Barbedor;—reconnais-tu cet enfant?...

Casseur sauta, ma foi, hors de son trou; on appela les marmitons et les garçons. Ce fut quelque chose, en effet, comme le retour de l'enfant prodigue.—Casseur, après avoir essuyé sa main, la tendit à Jean Lagard. Ensuite, il déclara que l'office contenait des côtelettes, des rognons, de la volaille et du jambon, sans compter les légumes.

—C'est assez pour nous trois, dit Jean Lagard.

—Ah! s'écria le bonhomme,—voilà un brave garçon... Alors, tu m'invites?

—Non, papa... nous sommes trois.

Casseur se mit à rire.—En d'autres temps, rien que pour cela, Jean-François Vaterlot, dit Barbedor, lui aurait brisé sa cruche sur la tête; mais, s'il avait gagné quatorze kilos, il avait perdu bien de l'aplomb. Il se borna à renvoyer d'un geste le chef, les marmitons et les garçons.

—Mon neveu, dit-il d'un air triste,—tu viens ici à ton écot; tu en as le droit... j'ai eu tort de te demander le nom de tes convives.

—Et je paye! ajouta Lagard, qui frappa sur son gousset bien rempli.

Le bonhomme se tourna de côté pour cacher son visage. Il avait la larme à l'œil.

—Quant à demander le nom de mes convives, reprit Jean Lagard,—n'y a pas d'affront... L'ancienne dont je vous parlais est ma marraine, que vous n'avez pas vue non plus depuis un bon bout de temps...

Barbedor fit un mouvement de surprise.

—L'autre, continua le neveu,—est un que vous ne connaissez pas... un lieutenant d'infanterie.

—L'est-il? demanda Barbedor.

C'est la formule consacrée. On sous-entend ici fort-et-adroit.

—Je ne sais pas s'il est reçu, répondit Lagard;—mais, parmi vos fainéants, il n'y en a pas un capable de le regarder entre les deux yeux.

—Oh! oh!... il est donc bien méchant, celui-là?

—Doux comme un agneau... mais brave, mais agile, mais robuste...

—Il s'appelle.

—Le lieutenant Vital.

Barbedor ouvrit de grands yeux.

—Vital! répéta-t-il;—Vital tout court?

—Tout court.

—Ah! fit le bonhomme, qui semblait réfléchir,—il y a un lieutenant qui s'appelle Vital!... et il vient avec maman Carabosse... Quel âge a-t-il?

—Vingt-six à vingt-huit ans... Vous avez entendu parler de lui?

—Oui et non.

Il compta sur ses doigts.

—1836, murmurait-il;—1808... ça serait ça... Mon garçon, nous allons traiter ton monde de notre mieux. Tu te souviens de Casseur: on ne dîne pas trop mal au château de la Savate.

—En attendant, papa, dit Lagard,—peut-on vous offrir l'absinthe?

—Tout de même.

Ils s'attablèrent. Le bonhomme bourra sa pipe; Jean alluma un cigare. Mais il n'y avait point entre eux cet abandon que promettait la chaleur de leur commun accueil.

—Ah çà! garçon, dit Barbedor, quand l'absinthe fut servie et qu'on eut trinqué,—qu'as-tu fait, depuis le temps, par le monde?

—Ceci et ça, mon oncle. J'ai été loin et je suis revenu... j'ai eu des hauts, j'ai eu des bas... ça m'a servi plus d'une fois dans les sociétés, de me poser comme l'élève de Jean-François Vaterlot, dit Barbedor...

—Vraiment! fit le bonhomme.

—D'autres fois, reprit Jean Lagard,—ça a fait qu'on m'a ri au nez... Alors, je leur ai donné un échantillon du latin de papa... Ce que j'aurais voulu, c'est travailler honnêtement, comme on dit, avoir un état, quoi!... mais, quant à ça, vous aviez négligé mon éducation...

—Y a-t-il un plus bel état que le nôtre? interrompit l'oncle.

—Ça dépend des goûts, répliqua le neveu;—moi, je l'aime assez parce qu'on s'y repose vingt quatre heures tous les jours... mais il y a des inconvénients... ça ne donne pas assez de considération dans son quartier... Et puis ma marraine m'avait conseillé...

—En voilà une que tu écoutes, ta marraine! gronda Barbedor jaloux.

—Au lieu d'être ma marraine, prononça tout bas Jean Lagard,—si celle-là eût été ma mère, j'aurais été un bon sujet, comme le lieutenant Vital.

—J'ai envie de le voir, moi, ton lieutenant Vital! s'écria le bonhomme.

—J'ai acheté une montre ce matin, répliqua Lagard, qui la tira de son gousset;—bientôt sept heures... le lieutenant ne tardera pas désormais.

Barbedor regardait la montre.

—Belle pièce! dit-il;—tu gagnes donc gros pour le quart d'heure?

—Trois francs par jour au chantier du Garde National, ici près, dans l'avenue de Saxe.

—Et tu fais des économies là-dessus?... une montre au gousset, des napoléons dans la poche...

Lagard prit la carafe pour nuager son verre d'absinthe.

—C'est vous qui m'avez donné la montre, papa, dit-il en riant.—Et les napoléons qui sont là me viennent de vous... J'ai arraché une dent au Garnier de Clérambault... Le voyez-vous toujours?

—Non, répondit Barbedor avec embarras.

—Tant mieux pour vous!

—Ou du moins très-peu...

—C'est encore trop!... Et la vipère?... Ne faites pas l'ignorant... vous savez bien de qui je parle.

—Oui, oui, je le sais bien! grommela Barbedor; elle ne vient plus.

—Alors, c'est qu'il n'y a plus rien à faire.

Barbedor avala son verre d'absinthe d'un trait.

—Laissons ça, n'est-ce pas? dit-il en fronçant ses gros sourcils grisonnants;— j'ai fait mes affaires comme j'ai voulu... Si la Carabosse m'a espionné, que le diable l'emporte!... Je deviens vieux, c'est clair; l'enfant que j'avais élevé pour me remplacer m'a planté là... rien ne m'a réussi... Quand le château de la Savate fermera, la rivière n'est pas loin, et moi, je ne suis pas maître nageur.

Jean Lagard lui tendit la main.

—Je reviendrai avec vous, papa, fit-il tout attendri,—si vous voulez me promettre quelque chose.

Le bonhomme eut un sourire à travers les larmes qui coulaient sur sa joue apoplectique.

—Toi, garçon! s'écria-t-il,—tu reviendrais avec moi!... Nous ferions une affiche où nous mettrions: «Pour la rentrée de Jean Lagard!...» Nom d'un cœur! que faut-il te promettre?

—Que vous enverrez paître le Garnier de Clérambault et sa marquise.

—Pour te ravoir, mon neveu! dit Barbedor avec effusion,—j'enverrais paître Paris et la banlieue! Je te promets cela et encore autre chose. Demande, demande! on ne te refusera rien... Perdreau, dit Goliath, et Bergasse, dit l'Enclume de Béziers, sont tous deux à Paris... le Bourreau des Fendants aussi... et encore Anderson, le boxeur de Covent-Garden, à Londres... Faisons l'affiche pour dimanche... nous en enverrons une au Jockey-Club, une à Tortoni, une au café Anglais... J'irai moi-même à la porte du Cirque, demain soir, dire un mot à ces messieurs... Tu lutteras avec Goliath et avec l'Enclume... et tu les tomberas, nom d'un cœur!... Tu feras assaut au sabre avec le Bourreau, et tu le chatouilleras... Ah! mais!... Tu boxeras contre Anderson, qui s'en ira plus rouge qu'une carotte... et ne le ménage pas, fils, c'est un Angliche!

Il se frottait les mains à tour de bras.

—Nom d'un nom! reprit-il,—tu l'as bien nommée: la Vipère!... Elle n'a qu'à venir!... Et le Garnier donc!... comme je les arrangerai!...

—Écoutez! fit Lagard.

On entendit le bruit d'une voiture qui s'engageait dans la ruelle du côté du boulevard extérieur. Les grosses joues de Barbedor perdirent un peu de leur enluminure.

En ce moment, un des garçons sortit de la maison et vint lui parler à l'oreille.

Il pâlit tout à fait.

Le garçon disait:

—Elle est en haut, toute seule... On lui a donné son eau-de-vie.

—Bien, bien!... fit Barbedor avec impatience.

—Elle est entrée par la porte de derrière, reprit le garçon,—et ça m'a fait peur, parce que je ne savais pas qu'elle avait une clef.

—Ah! dit Lagard, qui s'était mis à buvotter son absinthe,—elle a une clef, maintenant?

Le bonhomme n'osait plus le regarder.

—Faut-il la faire attendre? demanda le garçon.

—Qu'elle aille à tous les diables, si elle veut! s'écria Barbedor, qui se leva et donna un grand coup de pied à son tabouret.

La voiture avait, pendant cela, tourné l'angle de la ruelle. Elle s'arrêta devant la petite avenue qui conduisait au château de la Savate. La portière s'ouvrit.

—Bonjour, vieux! dit Clérambault, qui mit pied à terre;—à qui en avons-nous donc?

Il aperçut Jean Lagard et fit un haut-le-corps. Jean restait assis, les jambes croisées l'une sur l'autre et jetant au vent la fumée de son cigare.

—Nous vous attendions, dit-il par-dessus l'épaule;—je parlais de vous à mon oncle. Je lui disais: Je ne retournerai pas au chantier. Avec l'argent que M. de Clérambault se fera un plaisir de me donner, je m'associerai avec vous.

—Monsieur Lagard! répliqua l'habit bleu, qui s'avança vers lui résolûment, si nous avons déjà plaisanté une fois aujourd'hui..., je trouve que c'est assez.. Avec vos allures d'étourneau, vous êtes un industriel fort habile... On vous a pris une femme; vous vous la faites payer en détail et très-cher... Ce métier a un nom dans notre langage sans façon, vous savez bien, monsieur Lagard!

—N'insultez pas mon neveu! s'écria Barbedor, qui ferma les poings.

—La paix, papa! je suis bien en état de me défendre moi-même, dit Jean.

Il se leva à son tour et déposa son cigare sur la table. Il vint se mettre en face de l'habit bleu. C'étaient deux forts gaillards, mais Jean avait évidemment l'avantage.

—Vous avez raison, monsieur de Clérambault, dit-il en lui mettant la main sur l'épaule... entre gens comme il faut, l'argent que j'ai reçu m'ôterait le droit de vous traiter selon vos mérites... mais je suis un pauvre diable et vous un misérable... A dater de ce soir, je ne vous demanderai plus rien... et, la prochaine fois que je serai en train, je vous assommerai!

—Voilà! ajouta Barbedor;—et prenez votre associée sous le bras, l'homme... elle est en haut qui vous attend... et disparaissez tous deux: je vous fais cadeau de ce que vous m'avez volé.

FIN DU PREMIER VOLUME.

Milton Keynes UK
Ingram Content Group UK Ltd.
UKHW050835180923
428890UK00009B/423

L'histoire se déroule dans la France du XIXe siècle, une époque où les mariages arrangés étaient monnaie courante. Au cœur de cette société rigide se trouve le comte de Ravotière, un homme riche et puissant qui a une réputation de marieur habile. Il est célèbre pour sa capacité à négocier des mariages avantageux pour les familles nobles. Le comte de Ravotière décide de marier sa propre fille, Hermine, à un homme qu'il a soigneusement choisi. Cependant, Hermine est une jeune femme indépendante et déterminée qui refuse catégoriquement ce mariage arrangé. Elle est amoureuse d'un homme nommé Roland, un modeste peintre, mais leur amour est interdit en raison des différences sociales.

Hermine et Roland décident de lutter pour leur amour malgré les obstacles sociaux qui se dressent sur leur chemin. Ils cherchent de l'aide auprès de personnages inattendus, tels que le mystérieux "Tueur de Mariées", un justicier qui s'oppose aux mariages forcés.

L'intrigue se développe alors en une série d'événements complexes, de complots, de trahisons et de revirements de situation. Le comte de Ravotière, qui était autrefois un maître dans l'art de marier les autres, se retrouve à lutter pour maintenir le contrôle sur sa propre famille. Le roman explore des thèmes tels que l'amour, la liberté, l'émancipation des femmes et la lutte contre les conventions sociales oppressives. Il offre un récit captivant de la résistance contre les mariages forcés et de personnages courageux qui se battent pour leur bonheur.

OpenCulture

ISBN 979-1-04183-615-4

Honoré de Balzac

LE RÉQUISITIONNAIRE, EL VERDUGO